RÉCUP' CRÉATIONS

Aux voisines de la Villa Chaptal
B.T.-L.

Textes, illustrations, réalisations : Bernadette Theulet-Luzié
Photographies : Gérard Vinçon

Bernadette Theulet-Luzié

RÉCUP' CRÉATIONS

casterman

TABLE DES MATIÈRES

AVANT-PROPOS

Cette passion de transformer des objets usés, des emballages inutiles en « autre chose », je l'ai toujours partagée avec des enfants. Que ce soit comme animatrice d'ateliers, enseignante de dessin… ou maman.

Pourquoi dépenser quand tout est à portée de la main. Il suffit de ne pas jeter ces objets de la vie quotidienne : emballages carton, bouteilles plastiques, boîte à œufs, tee-shirts usagés, etc.

Cette démarche est d'autant plus précieuse lorsque l'on travaille en groupe : tous les enfants n'ont pas les mêmes possibilités d'achat, cette petite recherche aux trésors préliminaire a donc l'avantage de les mettre tous sur le même pied et, en elle-même, peut constituer un jeu.

Ici c'est la force créative qui a du prix !

Cette dynamique de transformation de l'objet dont la fonction initiale est totalement détournée aura un rôle ludique et enrichissant. Des alvéoles de boîte à œufs peuvent en un tournemain se métamorphoser en marionnette et prendre vie, un emballage de hamburger devient méduse, une assiette en carton-soucoupe volante prend le chemin des astres grâce à un coup de pinceau magique.

Ces recherches métaphoriques, ces constructions-déconstructions déboucheront sur bien d'autres démarches plastiques.

Plaisir d'imaginer, plaisir de créer, l'enfant proposera rapidement lui-même mille recréations et détournements inédits.

L'adulte sera alors là juste pour aider, parfois suggérer.

Ensuite, on pourra, à profit, montrer combien la récupération fait également partie de l'histoire de l'art. Découvrir les œuvres d'Arcimboldo, Picasso, Arman, Mac Cullum, ouvrira l'enfant à une approche plus artistique et pour laquelle la méthode « pas à pas » pourra être mise en sourdine.

BONNE RÉCUP'CRÉATION !

Bernadette Theulet-Luzié

COMMENT UTILISER CET OUVRAGE ?

Récup'créations est divisé en 5 chapitres thématiques repris dans la table des matières : figurines, cadeaux, objets pour la chambre, fêtes annuelles (Pâques et Noël). Un index aidera cependant à choisir les réalisations en fonction du matériel de récupération utilisé. Chaque projet de bricolage est accompagné d'une liste de matériaux nécessaires.

Un petit sigle indique le degré de difficulté de l'activité :

  facile, à la portée d'enfants de 3 à 4 ans

création demandant un peu plus d'adresse

  création pour enfants plus âgés à partir de 7 ans

Un petit sigle indique le degré de rapidité de la fabrication :

très rapide

rapide

un peu plus long

Cette classification est évidemment quelque peu aléatoire, chaque enfant étant particulier. Elle aidera cependant l'adulte à diriger le petit créateur vers telle ou telle activité en fonction de son stade de développement.

Les enfants qui ne savent pas encore lire auront bien sûr besoin de la présence d'un « grand » à leurs côtés pour comprendre les explications mais de nombreux bricolages proposés sont à leur portée sans qu'il soit besoin de les seconder dans la fabrication même des objets.

Pour faciliter la tâche de l'enfant, la plupart des patrons sont reproduits en regard des explications. Quelques-uns, plus grands, trouvent place à la fin de l'ouvrage.

QUELQUES CONSEILS

Récupérer, c'est avoir le bon geste, celui de ne pas tout jeter. Prévoyez un grand carton pour entreposer les objets récupérés, ainsi vous les aurez à disposition quand vous voudrez vous en servir. Demandez autour de vous ce qui vous manque : vous verrez affluer les cartons de lait, les boîtes de fromage, les clés qui ne servent plus, les gants dépareillés, etc. Une mine !

PROPRETÉ

Il est important que les cartons de lait et de jus de fruits, les pots de petit suisse et de yaourt, les emballages en polystyrène soient lavés, rincés, séchés.
Pour les boîtes de fromage, utilisez celles qui n'ont pas d'odeur. Lavez et faites sécher avant de couper et de coudre : jeans, chaussettes, gants, cotonnades.

COUPE

L'outil le plus utilisé est la paire de ciseaux ordinaires. Parfois le cutter est plus rapide et bien sûr, la présence d'une adulte est nécessaire. Ayez un plan de travail peu fragile : carton épais, planche de bois, tapis de caoutchouc.

Le couteau à pain (couteau scie) est très pratique pour couper les bouchons.

COLLAGE

La colle liquide est suffisante pour presque tous les collages. Le collage avec la colle néoprène en gel ou en liquide est plus solide.
Pour d'autres fixations, on utilisera des attaches parisiennes, du fil de fer fin, des points de coutures.

DÉCORATION

Avant de peindre, passez une couche de gouache blanche pour effacer les marques et les décors des boîtes.
Puis peignez à la gouache ordinaire ou à la gouache acrylique (en vente au rayon de matériel scolaire, dessin, travaux manuels). Elle a l'avantage d'être indélébile et de sécher vite. Ce qui nécessite de laver rapidement et souvent les pinceaux à l'eau et au savon. En guise de palettes, prenez des couvercles de bocaux ou des assiettes en carton que vous jetterez.
La bombe or permet d'obtenir une coloration rapide et uniforme sur tous les matériaux : carton, plas-

tique, noix, pommes de pin, bougies, etc.
La « glitter glue », pâte collante à paillettes brillantes, à passer avec le doigt, permet de petits effets décoratifs.

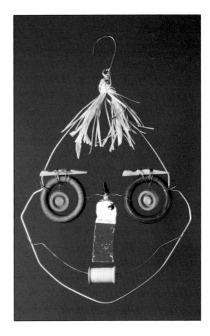

MATÉRIAUX UTILISÉS ET RÉALISATIONS

L'énumération est sans limite, voici les récupérations les plus courantes, boîtes à œufs (6, 10 ou 12) en carton ou en polystyrène, plaques à œufs (20 ou 30), cartons de lait ou de jus de fruits, à base carrée ou rectangulaire, boîtes de fromage en général rondes, parfois carrées, cartons alimentaires, couscous, riz, purée, céréales, cacao, sucre, etc, boîtes de crème glacée, emballage de tube (dentifrice, mayonnaise, crème de marrons), petites boîtes de médicaments (vérifiez qu'elles soient vides), petites et grosses boîtes d'allumettes, carton à chaussures avec le couvercle, cylindres de carton (papier ménager, aluminium, toilette), emballages en polystyrène (barquette de poulet, boîte de hamburger), cartons plats (dos de bloc de papier à lcttres), bouchons, boutons, cintres de teinturier, etc. Pour vous faciliter la tâche, voici une table classée en fonction des principaux matériaux utilisés pour chaque création.

Boîtes à œufs

Boîtes en carton
(alimentaires, ménager, chaussures) :

Carton plat

Polystyrène

Cartons de lait

Boîtes de fromage

FIGURINES
EN FOLIE

PERSONNAGES RIGOLOS, DRÔLES D'ANIMAUX

EN TOUS GENRES, EN TOUTES MATIÈRES,

FACILES À FAIRE.

MADAME BOUTON SORT MÉDOR

MADAME BOUTON

PRÉPARATION

Les bras : avec une aiguillée de fil élastique, piquez dans 5 boutons, 1 perle, repiquez dans les trous

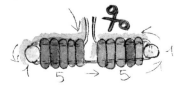

opposés des 5 boutons, piquez dans 5 autres boutons, 1 perle, repiquez dans les trous opposés des 5 derniers boutons. Faites un nœud avec le début du fil.

Les jambes : avec une aiguillée de fil élastique, piquez dans 8 petits boutons, 5 grands, 1 perle, repiquez dans les trous opposés des boutons. Piquez dans 8 autres petits boutons, 5 grands, 1 perle, repiquez dans les trous opposés des boutons. Faites un nœud avec le début du fil.

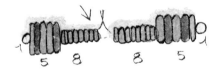

La tête : faites une boule de coton (2 cm de diamètre), emballez-la dans le morceau de collant ou de tee-shirt. Cousez pour obtenir une boule.

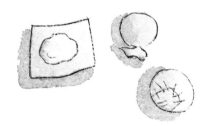

Le corps : avec une aiguillée de fil élastique terminée par un nœud, piquez dans la tête-boule, puis dans 1 petit bouton, 7 grands, re-

piquez dans les trous opposés des boutons, nouez au début du fil et sous la tête-boule.

MONTAGE

1 Grâce à l'élasticité du fil, desserrez entre le 2ᵉ et le 7ᵉ bouton du corps. Placez les bras au milieu des 10 boutons. Avec un morceau de fil élastique, faites un nœud.

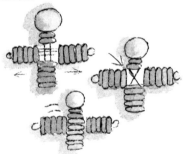

2 De même, faites un nœud avec l'élastique au bas des 9 boutons-corps et au milieu des élastiques-jambes.

HABILLAGE ET FINITION

1 Mesurez et coupez dans le tissu un triangle. Arrondissez le grand côté, c'est le foulard.

Placez-le sur la tête, croisez les deux pointes, fixez avec quelques points.

2 Découpez 1 rectangle de laine de 15 x 4 cm. Arrondissez. Cousez des petits points, placez au bas des grands boutons, tirez le fil qui forme les fronces, fermez par quelques points.

3 Faites 3 points noirs pour les yeux et le nez, un point rouge pour la bouche.

LE CHIEN

PRÉPARATION

Le corps : roulez 8 x 4 cm de tissu, fermez par quelques points.
La tête : 5 boutons + 1 petit.

MONTAGE

Cousez tête et pattes sur le corps avec le fil élastique. Découpez et collez les oreilles et la queue en carton.

MOUSSAILLON POMPON

IL VOUS FAUT

- 1 cylindre de carton (papier toilette)
- carton : 20 x 8 cm environ
- 1 bande de papier rouge 8 x 1,5 cm
- 35 cm de ficelle moyenne
- colle, ciseaux, gouache

PRÉPARATION

1 Calquez la forme des bras et du socle-pieds. Reportez-la sur le carton. Découpez : 1 socle-pieds, 2 bras.

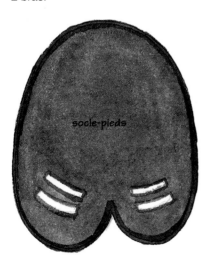

socle-pieds

2 Tracez et découpez dans le carton un cercle de 7 cm de diamètre : c'est le béret.

DÉCORATION

1 Passez une couche de gouache blanche sur le cylindre, le socle-pieds, et, recto verso, sur les bras et le béret.

2 Sur le cylindre, tracez une ligne à 6 cm du bas. Sur la partie supérieure, dessinez la limite des cheveux.

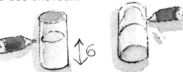

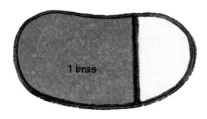

1 bras

3 Peignez en rose le visage et les mains. Peignez en bleu le vêtement, les manches et le béret (recto verso).

4 Finition : peignez les cheveux, les traits du visage.

5 Peignez des rayures blanches pour le col. Peignez en noir les chaussures, soulignez d'un trait noir les limites des couleurs.

1 bras

MONTAGE

Posez un filet de colle sur l'épaisseur du cylindre, appliquez sur le
socle-pieds. Collez les bras sur les
côtés.

LE BÉRET

1 Posez de la colle sur 1 cercle
de 3 cm au milieu du béret. Enroulez la ficelle comme un escargot et appliquez-la sur la colle.
Maintenez bien à plat jusqu'au séchage.

2 Sur l'autre côté du béret, collez la bande rouge en boucle.
Posez le béret sur le marin.

LES COMMÈRES

PRÉPARATION

1 Faites une boule de papier journal. Entourez-la de bandes. Terminez par une face assez lisse, les plis étant de l'autre côté.

2 Entrez en force dans le goulot.

HABILLAGE

Suivant la forme et la couleur de la bouteille, vous l'habillerez complètement ou laisserez apparaître la couleur de fond.

La bouteille bleue

1 Entourez 1 fois 1/2 la bouteille d'un sac poubelle bleu en fronçant. Glissez le haut dans le goulot (avant la tête en papier). Entourez d'une lanière-écharpe (15 x 2 cm) fixée par 1 punaise dans le goulot. Égalisez le bas.

2 Coupez 2 petits ronds jaunes dans le plastique. Piquez-les avec 1 punaise jaune sur le devant.

Les bras

1 Découpez dans du plastique 2 bandes de 16 x 7 cm. Pliez-les 3 fois dans la longueur. Pliez en 2 dans la hauteur. Glissez 1 seau ou 1 sac si le bras est porteur de cet accessoire.

2 Faites un petit rabat dans le haut. Enfoncez la punaise à l'intérieur, directement sur la bouteille. Marquez le poignet par une petite bande de plastique nouée.

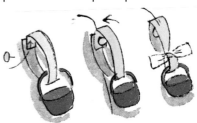

Le tablier

Découpez un rectangle dans le plastique et 1 bande (tour de bouteille + 2 cm). Fixez le rectangle par deux punaises qui sont cachées par la ceinture punaisée au dos.

Les cheveux

Après avoir replacé la tête en papier, entourez celle-ci d'un filet à oranges. Fixez avec 1 nœud ou 1 épingle. Cachez celle-ci par un nœud en plastique collé dessus.

La bouteille rose

Les bras et le tablier sont fixés sur la bouteille. Les cheveux sont un rectangle de plastique plié en deux, découpé en lanières. Dépliez, fixez sur la tête avec 2 épingles (ou punaises).

Le chapeau est un pot de petit - suisse + 1 couronne de plastique découpé.

La bouteille verte

La poignée devient bras. Un triangle de plastique rabattu devant, fixé par 3 punaises rouges, cache le deuxième bras inexistant.

Le chapeau est un bouchon de bouteille collé.

ACCESSOIRES

Les sacs sont des rectangles de plastique pliés en deux, agrafés, découpés.

Les seaux en pots de yaourt sont recouverts de plastique agrafé. L'anse est en fil de fer.

Les têtes sont peintes à la gouache : yeux, nez, bouche.

CHEVALIER VAILLANT

IL VOUS FAUT

- 2 rouleaux de carton de papier-toilette (identiques)
- un peu de carton mince
- 1 alvéole de boîte à œufs en carton
- 1 baguette fine de 24 cm de long
- gouache, ciseaux, colle

LE CHEVAL

1 Calquez la tête du cheval et la queue (p.153). Reportez-les sur le carton mince. Découpez.

2 Tracez et découpez les pattes dans le carton : 4 rectangles de 6 x 1,5 cm.

DÉCOUPES

1 Dans un des deux rouleaux, coupez des entailles de 0,5 cm de long.

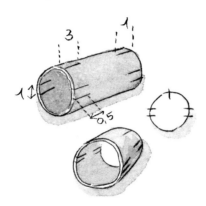

2 Coupez des entailles dans le haut des pattes.

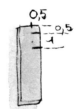

MONTAGE

1 Introduisez la tête dans la fente de 3 cm et la queue dans celle de 1,5 cm.

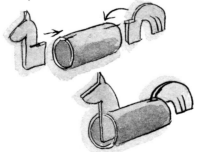

2 Introduisez les pattes dans les entailles de côté.

LE CHEVALIER

1 Calquez la forme du bas du chevalier. Reportez-la sur le bas du deuxième rouleau de carton en enroulant le calque. Découpez.

2 Découpez l'alvéole de boîte à œufs. Collez-la sur le haut du rouleau de carton.

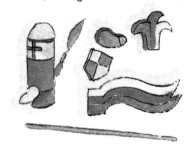

2 Peignez le heaume en gris, la cotte de mailles en rouge, les bottes en bleu.

À part, peignez le bras (recto-verso), le bouclier, le plumet, l'oriflamme, la baguette.

MONTAGE

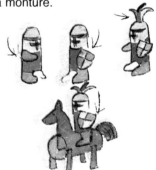

1 Collez le bras d'un côté, le bouclier de l'autre. Faites une fente dans le haut du heaume, glissez-y le plumet. Placez le chevalier sur sa monture.

2 Collez l'oriflamme sur la baguette. Pliez la main du chevalier. Placez-y la baguette.

3 Calquez la forme du bras, du bouclier, du plumet. Reportez sur du papier à dessin. Découpez.

DÉCORATION

1 Peignez le cheval en brun, la queue en noir.

LUTIN CHAUSSETTES

PRÉPARATION

1 Dans les parties non usées des chaussettes ou socquettes, taillez 3 longueurs de 8 cm et 2 de 10 cm.

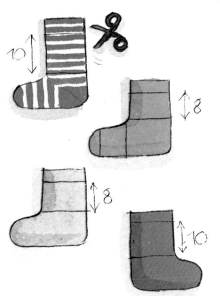

2 Coupez 2 longueurs de 8 cm en 2.

3 Pliez chaque morceau en 2, ce seront les bras et les jambes.

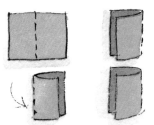

4 Disposez à plat les morceaux chapeau, tête, corps, bras, jambes.

MONTAGE

1 Superposez la tête et le corps. Cousez-les ensemble.

2 Dépliez. Cousez le haut (clair).

3 Retournez sur l'endroit (sans couture). Bourrez de coton, kapok ou ouate. Cousez le bas pour fermer.

4 Cousez en serrant. La fronce marque le cou.

5 Cousez les sacs bras et jambes sur deux côtés. Retournez. Bourrez. Cousez le troisième côté pour fermer.

6 Placez les sacs bras et jambes, cousez-les sur le corps.

7 Froncez le haut du sac-bonnet, serrez. Retournez.

8 Placez le bonnet sur la tête du lutin en roulant le bas. Ajoutez quelques points si nécessaire. Nouez le ruban autour du cou.

9 Il ne reste plus qu'à coudre deux petits points noirs pour les yeux et 1 pour la bouche.

ZAPATINI

- 1 boîte de camembert
  (ou autre)
- un peu de papier à dessin
- fil de fer fin ou fil de lai-
  ton : 24 cm
- papier aluminium
- ciseaux, colle, gouache

PRÉPARATION
DE LA BOÎTE

Passez une couche de gouache
blanche sur le couvercle de la
boîte. Puis peignez le dessus en
jaune et l'épaisseur en bleu et
rouge. Peignez l'épaisseur de la
boîte intérieure d'une couleur unie.

LE CLOWN JONGLEUR

1 Calquez le patron du clown, reportez sur le papier à dessin. Découpez.

2 Peignez le clown recto et verso, peignez les languettes en jaune.

3 Roulez 5 boulettes de papier aluminium.

4 Donnez une forme courbe au fil de fer. Enfilez les 5 boulettes en laissant 5 cm à chaque extrémité.

5 Posez de la colle dans les mains du clown. Placez les deux extrémités du fil de fer (légèrement recourbées) dans le pli des doigts et les pouces. Maintenez ainsi jusqu'au séchage.

6 Pliez les languettes sous les bottes : celles du milieu vers l'avant, les autres vers l'arrière. Posez de la colle dessous, appliquez sur le milieu du couvercle.

DIPLODO BLUE

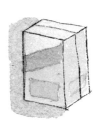

PRÉPARATION

1 Calquez la forme de la tête, des bras, pattes, dos-queue. Reportez sur le carton. Découpez.

2 Dans l'épaisseur de la boîte, tracez le milieu comme sur le croquis. Au cutter, tracez une fente le long de cette ligne.

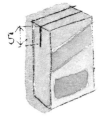

MONTAGE

1 Introduisez le dos-queue dans la fente.

2 Introduisez le cou.

3 Collez les 2 pattes et les 2 bras.

DÉCORATION

1 Passez 1 couche de gouache blanche sur l'ensemble. Peignez en bleu clair.

2 Peignez en bleu vif les pointes sur le dos et la queue, les bras, les pattes et des points sur le corps. Peignez yeux et nez.

bras

patte

colle

dos et queue

tête et cou

SAFARI BRICO

LE ZÈBRE

1 Collez ensemble 2 bouchons après avoir aplani les 2 parties en contact.

2 Avec une pointe, faites 4 trous dans le bouchon du dessous. Taillez 4 allumettes. Enfoncez-les dans les trous.

3 Peignez en blanc. Après séchage, peignez en noir yeux et rayures. Découpez dans le papier les oreilles et la queue.

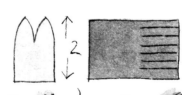

LE LION

1 Coupez 1 rondelle dans le bouchon de champagne. Collez-la.

2 Piquez 4 allumettes taillées. Peignez en roux. Après séchage, peignez la tête en laissant 0,5 cm libre au bord.

3 Coupez une quinzaine de brins de raphia de 1 cm. Collez-les sur la rondelle-tête. Collez la queue (5 cm).

LA GIRAFE

1 Collez 1 bouchon à 3 cm (tête).

2 Collez le bouchon-tête, 2 bouchons-cou et 1 bouchon-corps.

3 Piquez 4 allumettes taillées. Peignez en jaune. Après séchage, peignez yeux et taches noires.

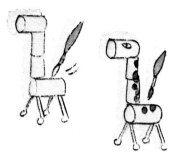

4 Calquez les formes des cornes et des oreilles. Reportez-les sur du papier. Découpez-les. Peignez et collez.

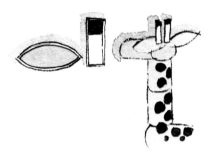

L'ÉLÉPHANT

1 Coupez 1 bouchon à 2 cm. Taillez le bouchon de champagne.

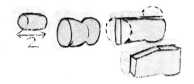

2 Collez ensemble les bouchons

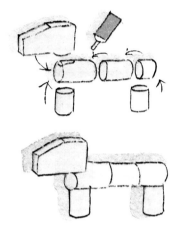

3 Taillez la trompe dans le papier : (10 x 1 cm) et la queue (3,5 x 0,5 cm), les oreilles, les défenses.

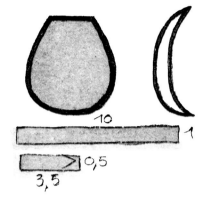

4 Peignez en gris les bouchons, les oreilles, la trompe, la queue. Collez les défenses, la trompe, les oreilles, la queue.

L'ESCARGOT

1 Coupez 1 bande de papier de 7 x 1 cm. Taillez les antennes.

2 Peignez-la en jaune et la rondelle en orange et rouge.

3 Arrondissez la bande. Collez la rondelle dessus.

LA GROSSE BERTHA

IL VOUS FAUT

- 1 carton de lait vide, propre, sec
- un peu de carton
- gouache
- raphia ou ficelle fine
- ciseaux, colle

PRÉPARATION

1 Calquez la tête et les mamelles (p.156). Reportez-les sur du carton. Découpez-les.

2 Tracez 4 rectangles de 8 x 2,5 cm sur le carton. Découpez-les, ce sont les pattes.

DÉCORATION

1 Peignez en blanc la boîte, la tête, les pattes, les mamelles, 2 couches minimum.

2 Dessinez et peignez de petites et grandes taches noires sur la tête, la boîte, les pattes.

3 Peignez les cornes en jaune, le museau et l'intérieur des oreilles en rose.

MONTAGE

1 Marquez les deux yeux. Faites deux trous. Placez la tête sur la boîte. Avec un crayon, marquez l'emplacement de l'œil, faites un trou dans la boîte.

2 Placez une attache parisienne déjà un peu ouverte dans l'œil et dans la boîte. Ainsi la tête pourra pivoter sur cet œil.

3 Placez la deuxième attache parisienne dans le deuxième œil.

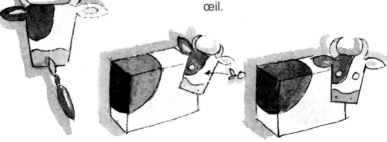

4 Peignez les 2 yeux en blanc et noir.

5 Posez de la colle sous les pattes sur 2 cm. Appliquez-les en bas de la boîte. Vérifiez la stabilité des 4 pattes.

6 Faites une fente de 6 cm sous la vache. Glissez le pis.

7 Avec de la ficelle, tressez une natte de 8 cm nouée aux 2 extrémités. Fixez par une bande de papier. Retouchez d'un peu de noir.

Pour une vache au pré : pas de pattes, pas de pis.

MISTER KO ET FILS

PRÉPARATION

Calquez la forme des oreilles et des pattes. Reportez sur le papier à dessin. Découpez. Pliez suivant les pointillés.

DÉCORATION

1 Peignez en gris clair oreilles et pattes recto verso ainsi que la boîte extérieure et les deux extrémités de la boîte intérieure.

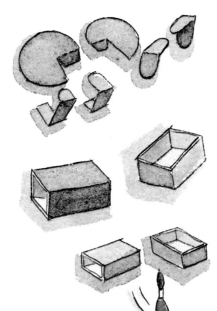

2 Peignez les têtes : yeux, nez, bouche.

PETIT KOALA

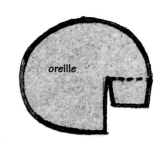

GRAND KOALA

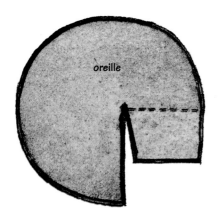

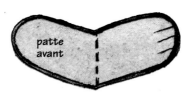

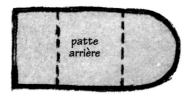

3 Soulignez d'un trait de gouache gris foncé les oreilles et les griffes des pattes.

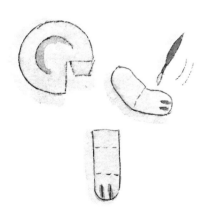

MONTAGE

1 Découpez des petites pointes au bas des oreilles. Collez les languettes sur le haut de la boîte intérieure.

2 Collez les pattes sur la boîte extérieure.

3 Glissez la boîte intérieure dans la boîte extérieure.

LES TROMPEURS

1 Dans le papier à dessin, taillez une bande de 28 x 1,5 cm.

2 Calquez les défenses, les pattes et les oreilles. Reportez sur le carton. Découpez : les défenses, 4 pattes, 2 oreilles.

3 Pliez, collez les défenses sur l'épaisseur de la boîte.

4 Donnez des formes arrondies à la bande en la posant sur une bouteille. Collez cette bande sur l'épaisseur au-dessus de la défense.

5 Dessinez l'emplacement de l'œil au crayon. Collez l'oreille à côté. Faites de même sur l'autre face.

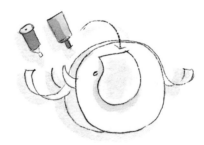

6 Collez 2 pattes à 3 cm du bas. De même sur l'autre face.

7 Peignez tout en gris. Les défenses restent blanches.
Pour l'œil : un rond blanc entouré de noir, un point noir au milieu. Un trait noir pour la bouche.

L'ÉLÉPHANTEAU

1 Dans le carton, tracez deux cercles de 7 cm de diamètre. Découpez-les et collez-les ensemble.

2 Découpez une bande de 17 x 1 cm dans le papier à dessin. Calquez la forme de l'oreille et des pattes. Procédez ensuite comme pour l'éléphant.

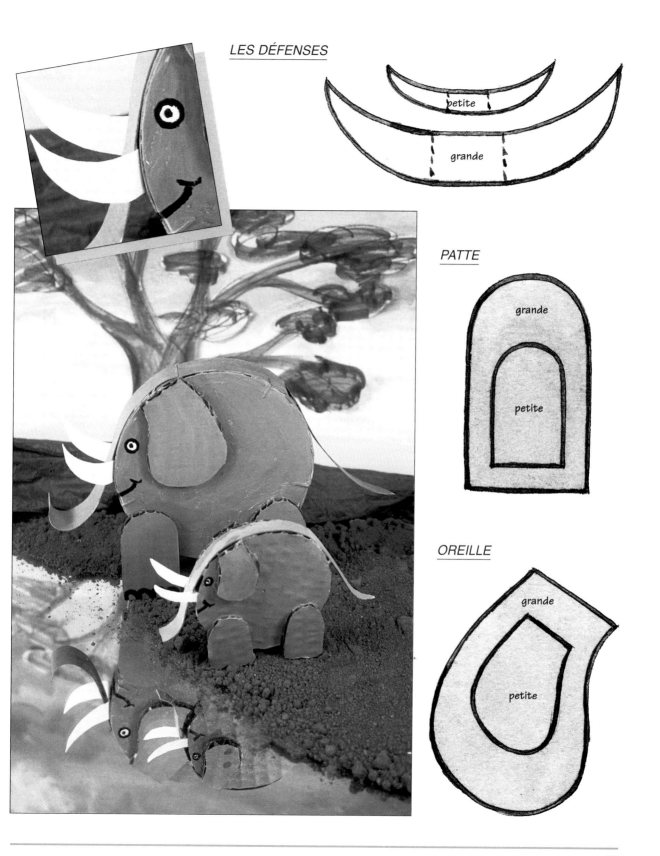

LES DÉFENSES

petite

grande

PATTE

grande

petite

OREILLE

grande

petite

JEUX ASTUCIEUX

BRICOLER C'EST JOUER. CRÉER DES JEUX DE SES MAINS,

C'EST DONC S'AMUSER DOUBLEMENT.

ICI « RECRÉATION » S'ÉCRIT AVEC DEUX ACCENTS :

« RÉCRÉATION ».

LES PETITS HOMMES VERTS DÉBARQUENT

IL VOUS FAUT

POUR LA SOUCOUPE :

- 2 assiettes en carton
- le couvercle ou l'intérieur d'une boîte de camembert
- 1 alvéole de boîte à œufs
- 2 piques apéritif
- 3 brochettes (ou 3 baguettes) de 8 cm de long
- 6 rondelles de bouchon
- papier aluminium

POUR UN HOMME VERT

- 2 alvéoles de boîte à œufs
- 2 piques apéritif
- un peu de carton d'une boîte à œufs
- papier aluminium

LA SOUCOUPE

1 Collez ensemble 2 assiettes. Collez dessus le couvercle de la boîte de camembert.

2 Découpez une alvéole de boîte à œufs. Collez au milieu du couvercle.

3 Collez 3 rondelles de bouchon sous la soucoupe.

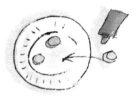

4 Piquez les 3 brochettes dans les 3 rondelles de bouchon restant, légèrement de travers.

5 Piquez le haut des brochettes dans les rondelles de bouchon sous la soucoupe (opération un peu délicate pour garder la soucoupe horizontale).

6 Peignez la soucoupe en orange, la cabine en jaune, le sommet en noir ainsi que les fenêtres et les pieds de la soucoupe. Enfoncez 2 piques apéritif dans le sommet. Ajoutez 2 boulettes de papier aluminium à ces « antennes ».

7 Pliez la bande de papier tous les 0,5 cm. Collez le haut de l'escalier sous la soucoupe.

LES PETITS HOMMES VERTS

1 Découpez 2 alvéoles de boîte à œufs. Égalisez les bords. Posez un filet de colle, serrez.

2 Dans le couvercle de la boîte à œufs, découpez des parties plates.

3 Calquez la forme des bras et des pieds. Reportez-la sur le carton, découpez 2 bras et 2 pieds. Collez-les.

bras

pieds

4 Peignez en vert. Après séchage, peignez yeux, nez, bouche en blanc et en noir.

5 Piquez dans la tête 2 piques apéritif terminées par 2 boulettes de papier aluminium.

UN TRAIN EN CACHE...

- carton (dos d'un bloc de papier à lettres)
- papier journal
- colle à papier peint
- 2 élastiques
- gouache

LES PETITES VACHES

- petite boîte d'allumettes
- papier à dessin fort
- gouache, ciseaux, colle

PRÉPARATION

1 Dans une cuvette, versez 1 l d'eau et 3 cuillerées à soupe de poudre de colle. Laissez reposer 5 min. Si la colle est trop épaisse, ajoutez de l'eau.

2 Déchirez le journal en bandes de 2 cm de large environ.

3 Arrondissez le carton. Enserrez-le avec 2 élastiques.

4 Disposez des bandes de papier encollées, dessus, dessous le tunnel. Croisez, superposez, recouvrez de plusieurs épaisseurs.

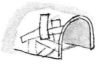

5 Laissez sécher au chaud : au soleil ou près d'un radiateur. Vérifiez que le tunnel ne se déforme pas. Placez des poids si nécessaire.

DÉCORATION

1 Quand le tunnel est bien sec et dur (sinon, rajoutez des bandes de papier), coupez les élastiques puis posez une couche de gouache blanche à l'intérieur et à l'extérieur. Peignez en gris clair l'intérieur. Dessinez, après séchage, les briques en gris foncé.

2 Peignez l'extérieur en vert. Ajoutez des petites fleurs. Ce tunnel est utile pour tous les circuits de voitures ou de trains.

LES PETITES VACHES

PRÉPARATION

1 Calquez la forme de la tête de la vache. Reportez sur le papier à dessin. Découpez.

2 Découpez les pattes : 4 rectangles de 2,5 x 0,7 cm et la queue : 5 x 0,5 cm

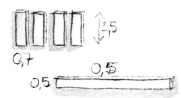

DÉCORATION

1 Passez une couche de gouache blanche sur la boîte d'allumettes, aux 2 extrémités du tiroir et sur la tête.

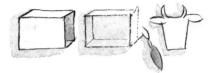

2 Sur l'enveloppe, collez les 4 pattes sur 1 cm.

3 Peignez les taches sur le corps et la tête. Peignez cornes, oreilles, museau, yeux.

4 Collez la tête sur le corps. Peignez en noir les sabots, le bout de la queue.

5 Pliez la queue à 0,5 cm. Collez sur l'épaisseur du tiroir.

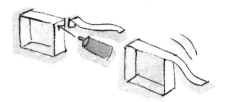

6 Placez le tiroir dans l'enveloppe.

Prête pour regarder les trains passer !

... TOUJOURS UN AUTRE

PRÉPARATION

1 Coupez l'emballage du tube à 15 cm.

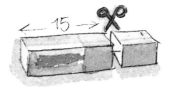

2 Faites 4 fentes à 3 cm. Pliez. Collez les rabats.

3 Coupez l'autre partie de la boîte à 0,5 cm. Pliez ces languettes. Collez 1 rectangle de papier dessus.

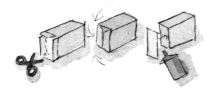

4 Collez ce dernier élément sur la boîte.

5 Dans la boîte à œufs, coupez les deux pointes coniques. Ôtez les deux sommets. Collez les cônes sur la locomotive.

6 Coupez 8 rondelles de bouchon pour les roues et 2 plus épaisses. Taillez-les, ce sont les butoirs.

7 Coupez 4 longueurs de paille égales à la largeur de la boîte.

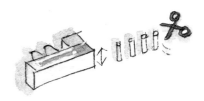

DÉCORATION

1 Dessinez la partie cabine. Peignez le reste de la boîte en noir ainsi que l'épaisseur des rondelles. Peignez en gris un côté de chaque rondelle ainsi que les deux butoirs. Après séchage des roues, peignez des traits noirs.

2 Peignez la cabine avec le conducteur. Peignez un trait rouge sur la cabine et la locomotive.

MONTAGE

1 Posez 4 filets de colle sur les pailles. Appliquez celles-ci sous la locomotive.

2 Avec une pointe, faites un trou au milieu des roues (côté non peint). Enfoncez le pique apéritif. Glissez-le dans une paille puis, de l'autre côté, dans une autre roue. Ainsi pour les 6 autres roues.

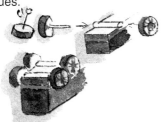

3 Retournez, collez les butoirs, piquez 2 punaises rouges devant. Placez du coton pour la fumée dans les cheminées.

LES WAGONS

1 Coupez l'emballage du tube à 12 ou 14 cm suivant la longueur du wagon voulue. Ôtez le dessus.

2 Coupez à 2 cm de l'extrémité. Pliez. Collez ces languettes.

3 Peignez et fixez les 4 roues comme pour la locomotive.

ACCROCHAGE

Coupez le fil de fer à 3 cm. Tordez en S. Avec une pointe, faites des trous dans la locomotive et les wagons. Introduisez les S. Accrochez locomotive et wagons.

LA CARAVANE PASSE

- 3 boîtes de savon
  (de mêmes dimensions)
- 12 rondelles de bouchon
- paille (chalumeau)
- fil de fer 4 fois 2 cm
- 6 piques apéritif
- gouache, colle, ciseaux

PRÉPARATION

Raccourcissez la troisième boîte à 8 cm, en gardant 3,5 cm pour les languettes de collage.

DÉCORATION

1 Passez une couche de gouache blanche sur les 3 boîtes. Au crayon, dessinez : sur le premier camion, la cabine, sur le deuxième les lions, sur le troisième camion les portes et fenêtres.

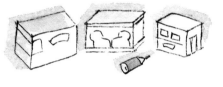

2 Peignez le rouge des 3 voitures. Peignez le fond gris de la cabine et de la cage.

3 Peignez le conducteur, l'étiquette « Circus », les étoiles. Collez 2 ronds jaunes pour les phares.

4 Peignez les lions en ocre jaune. Après séchage, dessinez puis peignez les grilles de la cage.

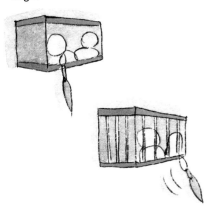

5 Peignez la 3ᵉ voiture : fenêtres, porte, décor.

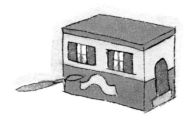

6 Peignez en noir les rondelles de bouchon avec un rond rouge au centre (à l'extérieur).

MONTAGE

1 Posez 1 filet de colle sur les pailles et sous les voitures. Appliquez.

2 Taillez les piques apéritif à la longueur de la paille + 1 cm. Piquez dans une rondelle de bouchon, enfilez dans une paille, piquez dans l'autre rondelle. De même pour les deux autres roues.

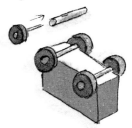

3 Avec une pointe, faites 1 trou entre les voitures. Tordez le fil de fer en S. Introduisez-le dans la voiture. Attachez les voitures entre elles par ces crochets.

ENCORE UN TOUR !

IL VOUS FAUT

- 1 assiette en carton
- 5 fils de fer entourant les bouchons de champagne ou de cidre
- 5 rondelles de bouchon (ordinaire)
- ficelle fine
- 1 agrafeuse
- colle, ciseaux, gouache

PRÉPARATION

1 Mesurez 11 cm sur le bord de l'assiette en carton. Reliez les 2 extrémités au centre. Ôtez cette portion.

2 Collez ensemble ces 2 rayons pour faire un cône.

3 Calquez le modèle d'un enfant. Reportez-le 5 fois sur le papier à dessin. Découpez.

DÉCORATION

1 Peignez le cône en allant du centre vers l'extérieur. Peignez les pois.

2 Peignez, recto verso, les personnages de couleurs vives : tête, bonnet, maillot.

MONTAGE

1 Collez une rondelle de bouchon dans le fond de la « nacelle » en fil de fer.

2 Pliez les bras et les jambes des enfants. Posez de la colle sur les rondelles de bouchon. Asseyez les enfants dessus, les mains pliées entourant le fil de fer.

3 Coupez 20 cm de ficelle. Nouez les 2 extrémités sur le fil de fer au-dessus des mains. Faites de même pour les 5 personnages.

MONTAGE DU MANÈGE

1 Faites 5 marques au crayon partageant également le cercle du cône. Agrafez les ficelles sur ces emplacements. Retournez.

2 Passez une ficelle terminée par un nœud dans le cône. Suspendez par l'autre extrémité.

LES BOLIDES

LES VOITURES
BLEUES ET ROUGES

PRÉPARATION

1 Sciez 1 bouchon en rondelles :
4 par voiture. Sciez 2 morceaux de 1 cm. Taillez le dessus
en arrondi.

2 Découpez 4 petits ronds de
papier de 1 cm de diamètre.
Calquez, reportez, découpez la
tête de canard.

3 Découpez 2 longueurs de
paille à la largeur de la boîte.

DÉCORATION

Peignez les boîtes et les têtes de
canard de couleurs vives, les 4
ronds de papier et les 4 rondelles
de bouchon en noir. Peignez 1 tête
et 1 casque sur le morceau de
bouchon arrondi.

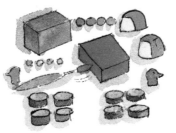

MONTAGE

1 Collez la tête sur la boîte. Avec
le cutter, faites une fente sur le
capot. Introduisez la tête de canard.

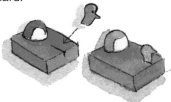

2 Collez 2 pailles sous la boîte.

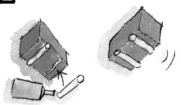

3 Collez les petits ronds de papier sur les 4 rondelles de
bouchon.

4 Avec une pointe, faites 1 trou
au milieu des rondelles de
bouchon (sur l'autre face). Introduisez une pique dedans, enfilez
celle-ci dans la paille, piquez dans
une autre rondelle de bouchon.

LA VOITURE JAUNE

1 Peignez l'intérieur de la boîte en noir. Posez-la à l'envers sur le papier. Dessinez le contour. Découpez. Ôtez une petite partie.

2 Collez le papier sur la boîte, peignez celle-ci en jaune et noir.

3 Collez 2 ou 3 épaisseurs de papier sous la boîte, puis collez les pailles dessus.

4 Coupez les piques à brochettes à la longueur des pailles + 1,8 cm.

5 Enfilez les axes comme pour les deux autres voitures. Le pilote est un bouchon de champagne peint. Placez-le.

LA MAISON FLOTTANTE

LA BARQUE

1 Peignez la barquette de polystyrène : dessus (vert) ; dessous (bleu), bordures (rouge et jaune). Attendez le séchage d'une couleur pour en passer une autre. Comptez 2 couches de peinture.

2 Faites 9 nœuds sur la ficelle, espacés de 3 cm.

3 Piquez avec une épingle dans le nœud du milieu. Enfoncez cette épingle à l'avant du bateau, au milieu, dans l'épaisseur.

4 Piquez ainsi les 8 épingles dans les 8 nœuds. Enfoncez les épingles dans l'épaisseur du bateau, en tendant bien la ficelle.

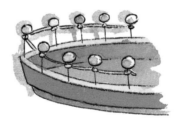

LA MAISON

1 Coupez dans le papier rouge un carré de 10 cm de côté. Pliez en deux.

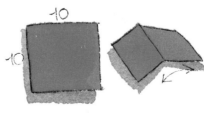

2 Coupez un rectangle de 10,5 x 8 cm. Pliez en 3. Collez 2 faces l'une sur l'autre comme sur le croquis.

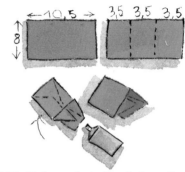

3 Peignez la boîte d'allumettes en blanc. Peignez portes et fenêtres.

4 Collez la forme triangulaire. Collez dessus le carré plié en 2.

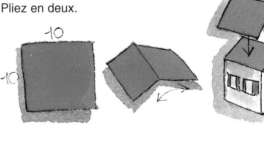

LE BONHOMME

1 Coupez 4 allumettes à 2,5 cm de long et 2 rondelles de bouchon.

2 Faites 1 trou avec une pointe dans le bouchon corps : 2 sur les côtés, 2 en dessous, ainsi que dans les rondelles de bouchon.

3 Taillez les extrémités des allumettes. Enfoncez-les dans les trous.

4 Peignez en bleu, blanc, noir.

LE CHIEN

Coupez 1 bouchon aux 2/3. Ôtez 2 petits morceaux. Collez-les. Piquez 4 allumettes (coupées à 2 cm) pour les pattes. Peignez en ocre jaune. Calquez, découpez les oreilles et la queue. Peignez en brun. Collez.

oreilles

queue

LA MÉDUSE DE RIVIÈRE

PRÉPARATION

Dans le sac plastique, découpez 6 bandes de 12 x 4 cm.

DÉCORATION

1 Passez 1 ou 2 couches de gouache blanche sur la boîte en polystyrène ainsi que sur les bandes si elles ne sont pas blanches. Peignez en vert clair la boîte et les 6 bandes. Passez une 2e couche si nécessaire.

2 Dessinez et peignez 2 ronds blancs pour les yeux. Ajoutez 1 point noir au milieu et 1 cerne tout autour.

3 Peignez en rose vif 3 bandes sur le dessus et la langue (languette de fermeture).

4 Peignez des pois roses sur les bandes.

MONTAGE

1 Ouvrez la boîte, posez un filet de colle sur la partie intérieure. Appliquez une bande dessus.

2 Procédez ainsi pour les 6 bandes, 3 de chaque côté.

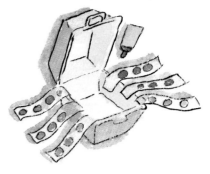

3 Fermez la boîte, faites flotter la méduse.

On observe que les méduses de baignoire ont des couleurs très variées suivant les maisons.

LES MINI-LOUPS

PRÉPARATION

1 Coupez ensemble 2 alvéoles de boîtes à œufs.

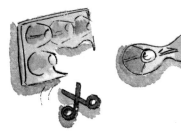

2 Égalisez les bords. Évidez les fonds.

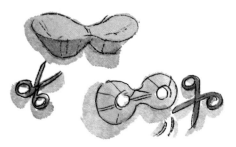

3 Calquez la forme d'une plume. Reportez sur la partie plate du couvercle de la boîte. Découpez 2 fois.

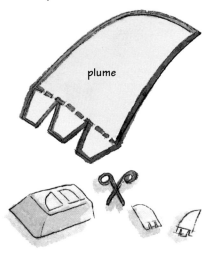

plume

4 Coupez une pointe.

5 Partagez cette pointe en 2. Ôtez 2 petits angles.

MONTAGE

1 Placez la demi-pointe entre les alvéoles, collez ainsi.

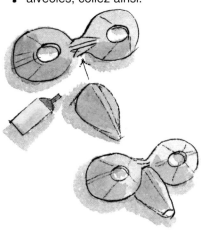

2 Ôtez 1 lamelle, inconfortable pour le nez (la partie hachurée).

3 Collez les 2 plumes sur le côté.

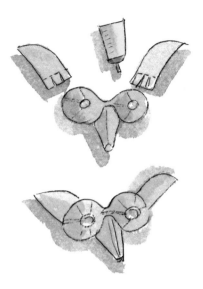

DÉCORATION

Peignez en 1 ou plusieurs couleurs. Avec une aiguille enfilée de fil élastique, piquez dans le masque sous les plumes. Nouez à la bonne longueur.

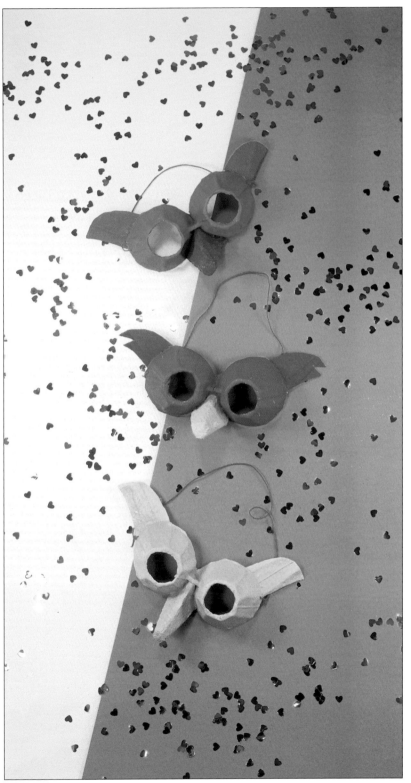

LE SERPENT SURPRISE

IL VOUS FAUT

- 1 boîte de fromage carré
- papier à dessin vert
- gouache, colle, ciseaux

PRÉPARATION

1 Tracez et découpez dans le papier vert 3 bandes de 32 x 4 cm. Collez-les bout à bout.

2 Calquez la tête du serpent. Reportez sur le papier vert. Découpez.

3 Sur la bande, marquez un trait tous les 4 cm. Découpez 1 pointe à une extrémité.

DÉCORATION

1 Peignez en jaune l'intérieur de la boîte et du couvercle. Peignez en rouge l'extérieur. Peignez une ligne brisée violette au milieu de la bande, avec des points rouges dans les creux.

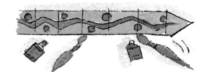

2 Peignez la tête : sourcils violets, langue rouge, yeux jaunes et rouges. Pliez la bande en accordéon tous les 4 cm, sauf les 8 premiers cm.

3 Collez la tête sur l'extrémité.

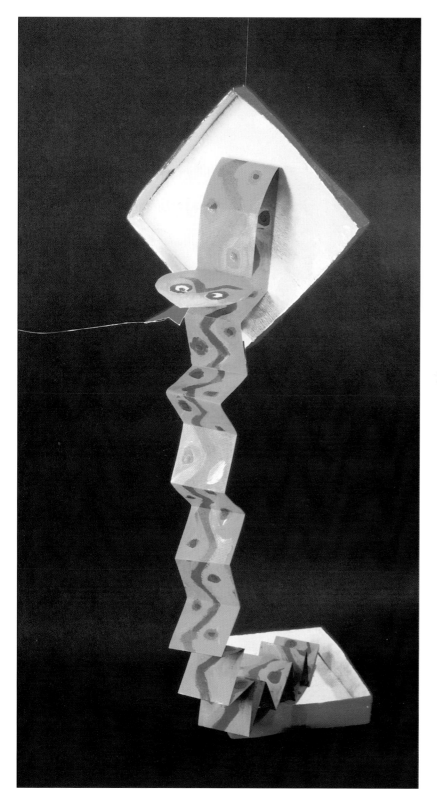

MONTAGE

1 Collez les 8 premiers cm sur la diagonale de la boîte.

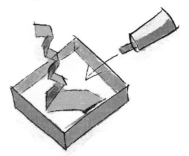

2 Collez les 3 et 4ᵉ carrés après la tête à l'intérieur du couvercle.

3 Pliez le serpent avant de fermer la boîte.

Offrez à un ami et observez sa réaction !

LA VALISE « KIM »

IL VOUS FAUT

- 1 petit carton à chaussures avec couvercle
- carton plat
- 6 attaches parisiennes
- 2 élastiques
- petites boîtes d'allumettes vides: au moins 10
- matériaux variés au toucher : coton, papier de verre, moquette, laine, etc.

PRÉPARATION

1 Dans le carton plat, tracez et découpcz 4 cercles de 3 cm de diamètre et 2 petits ronds de 2 cm de diamètre. Collez 2 petits ronds au milieu de 2 plus grands.

2 Dans le carton, tracez et découpez la poignée : une bande 15 x 2 cm. Tracez les mesures du croquis et pliez.

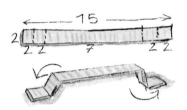

3 Faites un trou, dans le centre des ronds, avec 1 pointe de compas, ainsi qu'aux extrémités de la poignée. Agrandissez les trous avec 1 aiguille à tricoter.

4 Fendez le couvercle sur 2 petites hauteurs. Dépliez cette partie. Coupez 2 arrondis.

5 Collez la partie dépliée du couvercle sur la boîte.

6 Faites 2 trous dans le couvercle et 2 trous dans la boîte comme sur le dessin.

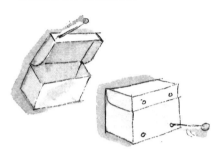

DÉCORATION

1 Peignez l'extérieur de la boîte en noir, les ronds et la poignée en jaune. Piquez des attaches parisiennes dans les trous des ronds de carton. Piquez 2 ronds simples sur le couvercle, 2 ronds doubles sur la boîte (petit rond contre la boîte).

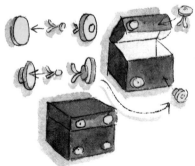

2 Pour la fermeture enroulez l'élastique sur le rond du haut, croisez, enroulez l'élastique sur le rond du bas.

3 Placez la poignée sur le couvercle. Avec 1 crayon, marquez l'emplacement des trous. Piquez 2 attaches parisiennes dans les trous de la poignée et ceux du couvercle.

4 Peignez des points d'interrogation blancs sur la valise.

LES BOÎTES MYSTÉRIEUSES

1 Peignez l'enveloppe des boîtes d'allumettes de couleurs vives. Après séchage, peignez un point d'interrogation au-dessus.

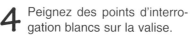

2 Peignez le devant du tiroir d'une autre couleur.

3 Placez dans chaque boîte une matière différente : coton, papier de verre, morceau de moquette (4 x 2 cm), des élastiques, du sable, de la laine, du papier de soie, du plastique, de la ficelle, etc.

RÈGLE DU JEU : les yeux bandés, le joueur doit deviner au toucher le contenu de la boîte.

LES BILBOQUETS

IL VOUS FAUT

- bouteilles plastiques
- gouache acrylique
- ficelle : 75 cm
- papier journal
- 1 pointe (clou, compas)

PRÉPARATION

1 Coupez la bouteille à 12 cm du bouchon : utilisez un couteau à pain comme une scie ou faites un trou, puis coupez avec les ciseaux.

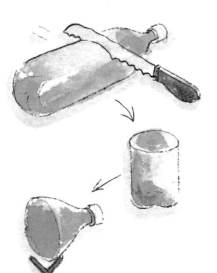

2 Avec la pointe, trouez le bouchon. Faites-y passer la ficelle terminée par un nœud. Tirez le nœud jusqu'au bouchon. Enroulez la ficelle en peloton.

3 Vissez le bouchon sur la bouteille.

DÉCORATION

Peignez le bilboquet d'une ou 2 couleurs vives. Après séchage, peignez les pois.

Vous pouvez aussi le décorer au ruban vinyle adhésif. Choisissez 2 ou 3 couleurs. Appliquez de petites longueurs de 5 cm environ, les unes à côté des autres, puis se croisant. Couvrez toute la surface ainsi que le bouchon.

LA BALLE

1 Roulez une boulette de papier journal de la grosseur d'une petite balle. Entourez d'un peu de ruban adhésif.

2 Déroulez le peloton de ficelle. Enroulez l'extrémité autour de la balle. Fixez avec du ruban adhésif, solidement... pour jouer avec ce bilboquet.

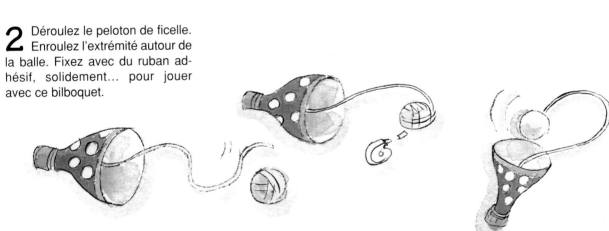

LES TOUPIES

PRÉPARATION

1 Avec un compas, tracez des cercles de 3,5 cm de rayon sur le carton. Avec la même ouverture de compas, placez la pointe sur le cercle et portez de chaque côté cette longueur sur le cercle. Tracez les trois diamètres.

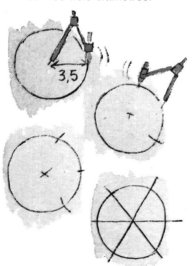

2 Joignez les points du cercle à leurs voisins. Le cercle est partagé en 6 triangles égaux. Découpez cette figure.

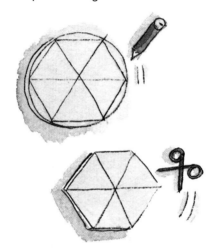

DÉCORATION

Peignez chaque triangle en 2 couleurs primaires : en bleu et jaune, en bleu et rouge, en rouge et jaune.

MONTAGE

1 Coupez des rondelles de bouchon avec un couteau à pain. Peignez-les en noir, sauf une face.

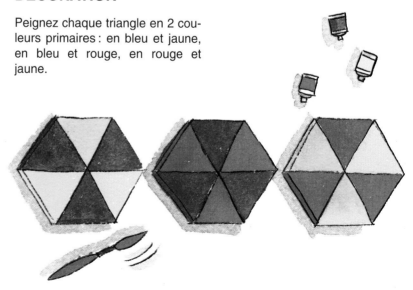

2 Avec une pointe, faites un trou au milieu de chaque rondelle (côté peint). Enfoncez une allumette taillée, de 2 cm de long.

3 Collez ces rondelles au centre et des deux côtés des toupies. Vérifiez de profil que les deux rondelles sont bien en face.

Faites tourner les toupies et observez les couleurs qui apparaissent. Amusez-vous à imaginer d'autres décors et d'autres couleurs.

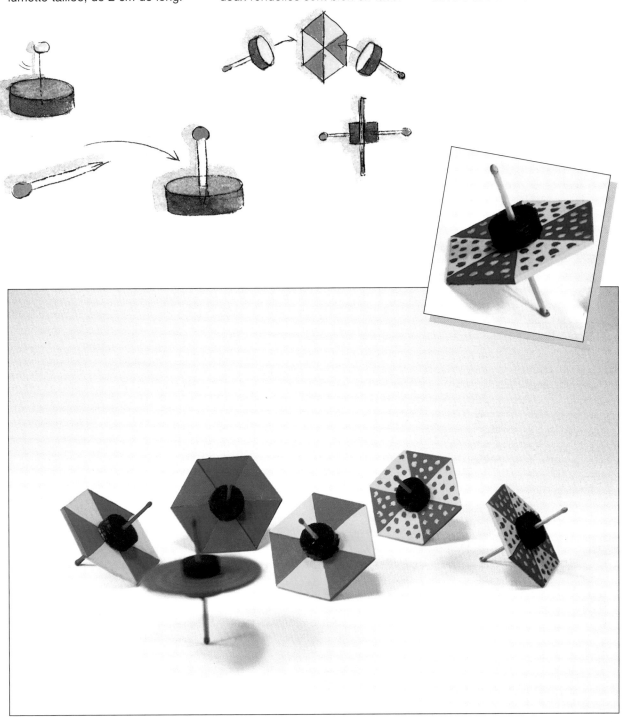

LE MINI-GUIGNOL

IL VOUS FAUT

- boîtes à œufs
- petits morceaux de tissu, bolduc, laine
- papier à dessin de couleur
- ciseaux, gouache, colle
- vieux gants dépareillés

PRÉPARATION

1 Coupez les alvéoles des boîtes à œufs ainsi que les pointes-cônes.

2 Égalisez les bords. Collez les alvéoles 2 par 2. Peignez-les : en rose (princesse, fée, roi), en bleu (lapin), en jaune (sorcière).

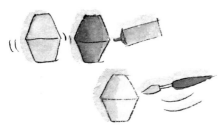

MONTAGE

Le roi

1 Dentelez une alvéole. Coupez une pointe à 1,5 cm. Collez la pointe au milieu de l'alvéole.

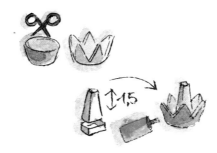

2 Collez la couronne sur la tête.

La princesse Frisette

1 Coupez des petites longueurs de bolducs. Frisez-les en passant la lame des ciseaux dessus. Collez-les sur les côtés, sauf sur la partie visage.

2 Dentelez une alvéole. Collez cette couronne sur la tête.

Le lapin

Calquez, reportez sur du papier la forme de l'oreille. Coupez en double. Pliez les languettes. Collez-les sur la tête.

La fée

1 Collez des brins de laine de 15 cm sur la tête et les côtés, sauf la partie visage.

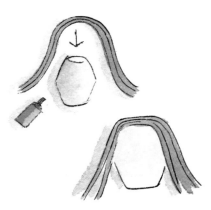

2 Peignez un cône en vert. Collez-le sur les cheveux.

3 Fendez le sommet du cône. Glissez un petit morceau de tissu léger.

La sorcière

1 Coupez des bandes de papier vert de 6 x 0,5 cm. Collez-les tout autour, sauf sur le visage.

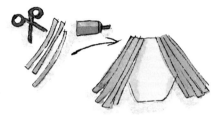

2 Calquez le nez. Reportez sur du papier jaune. Faites une fente dans le visage. Glissez le nez.

3 Posez 1 cône sur du papier à dessin noir. Tracez le contour ainsi qu'une couronne. Découpez.

4 Collez le cône sur la tête. Faites glisser la couronne dessus et fixez par un point de colle.

DÉCORATION

Peignez les visages à la gouache, les cheveux et les moustaches pour le roi, les couronnes, les oreilles du lapin. Coupez des doigts de gants. Enfilez-les. Faites un trou sous la tête, enfilez-les sur les doigts.

LE LIT DE BÉBÉ

LE LIT

1 Calquez la moitié de la tête et du pied de lit (p.155). Reportez les côtés sur le carton. Découpez.

2 Collez les éléments sur les petits côtés de la boîte.

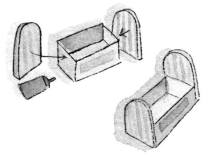

3 Peignez le lit en vert clair (une ou deux couches). Après séchage, dessinez de petits triangles, peignez-les de couleurs vives.

4 Sciez les bouchons en 2. Peignez-les aux couleurs du lit. Collez-les sous le lit.

LA LITERIE

Le matelas

Pliez le rectangle de tissu de 28 x 18 cm en 2. Cousez sur 2 côtés. Retournez. Bourrez de coton. Fermez par des petits points.

L'oreiller

Coupez 2 rectangles de cotonnade à carreaux de 14 x 10 cm avec des ciseaux cranteurs. Cousez des petits points, près du bord, en tirant un peu sur le fil pour faire des fronces.

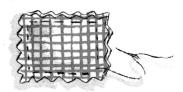

Bourrez de coton et fermez par les mêmes petits points.

Le drap

C'est un rectangle de cotonnade de 22 x 16 cm.

La couverture

Elle est récupérée dans une chaussette usagée. Découpez la partie non usée.

La table de nuit

1 Peignez la partie extérieure des tiroirs des boîtes. Faites un trou au milieu, introduisez les attaches parisiennes.

2 Glissez-les dans leurs enveloppes. Superposez-les. Collez-les ainsi. Entourez de papier à dessin. Peignez en vert.

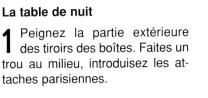

Le petit pot

C'est un bouchon de plastique et 1 petite anse en papier à dessin.

Bébé

Calquez sa silhouette. Reportez sur le carton. Peignez-le et mettez-le au lit !

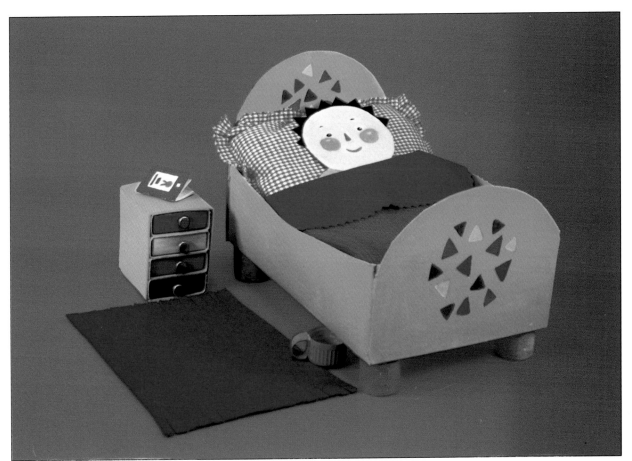

JOYEUSES PÂQUES

Pour célébrer la fête du renouveau,

faites du neuf avec de l'ancien :

voici de jolis cadeaux !

LADY CAQUETTE

PRÉPARATION

1 Utilisez des bouteilles bien lavées et bien séchées. Gardez le bouchon de l'une d'elles.

2 Calquez les formes : crête, bec, œil, ailes, queue (p.155). Reportez-les sur les bouteilles sans bouchon. Découpez-les avec de bons ciseaux.

3 Roulez les ailes et la queue dans le sens inverse pour les aplatir. Posez un poids.

4 Pliez les deux languettes de chaque côté de la crête. Posez 2 poids.

5 Pliez en deux la tête au milieu du bec.

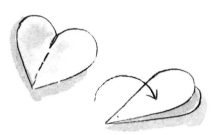

DÉCOUPES

1 Dessinez et faites une fente verticale de 7 cm dans la bouteille au bouchon.

2 Tracez et faites deux fentes de 5 cm de chaque côté, obliques et parallèles.

DÉCORATION

1 Peignez la bouteille, la queue, les ailes de grands traits de gouache noire. Peignez la crête en rouge (recto verso), sauf les languettes.

2 Peignez le bec en jaune et deux gros yeux noirs.

MONTAGE

1 Glissez la queue dans la fente verticale de la bouteille comme sur le dessin.

2 Glissez les ailes dans les fentes obliques.

3 Fixez la crête avec deux punaises sur le bouchon.

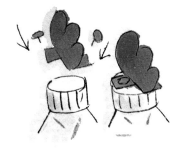

4 Introduisez la fente du haut du bec dans celle de la crête.

TRIO VIRTUOSO

PRÉPARATION

1 Calquez la forme du socle-pieds, des bras, de la trompette, de la visière.
Reportez sur du papier à dessin. Découpez (bras en double).

2 Sciez un cylindre de carton de 3,5 cm de long (utilisez 1 couteau à pain).

3 Coupez une alvéole de boîte à œufs.

MONTAGE

1 Placez l'alvéole sur la visière à 0,5 cm du bord. Tracez le contour de l'alvéole. Ôtez-la. Pliez 2 languettes. Collez-les sous l'alvéole.

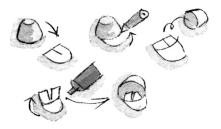

2 Posez un filet de colle sur l'épaisseur du cylindre. Appliquez sur le socle-pieds.

DÉCORATION

Peignez le cylindre en rouge, les chaussures en jaune, les manches en violet, la casquette en vert, la visière en violet. Placez l'œuf sur le cylindre, la casquette sur l'œuf. Dessinez au feutre les yeux, le nez, la bouche, les cheveux.

LES BRAS ET LES INSTRUMENTS DE MUSIQUE

Fixez les instruments au bout des bras avant de coller ceux-ci sur le corps.

Le trompettiste

Collez les 2 mains sur la trompette.

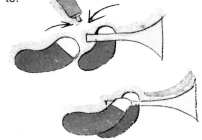

L'accordéoniste

Coupez 1 rectangle de 4 x 2 cm dans le papier à dessin. Peignez-le en noir. Pliez-le tous les 0,5 cm. Collez les mains aux deux extrémités.

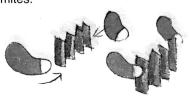

Le batteur

Coupez le bouchon, ne gardez que le bas. Peignez-le en vert, puis peignez le décor après séchage. Pliez les mains. Coupez 2 allumettes dans le pli des mains.

Posez le tambour devant le musicien. Collez les bras de façon que les baguettes viennent au-dessus du tambour.

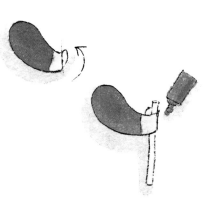

socle-pieds

visière

LE LAPIN RANGE-CASSETTES

PRÉPARATION

1 Calquez les formes des pattes avant et arrière et des oreilles (p.153). Reportez sur le carton. Découpez 2 pattes avant, 2 pattes arrière, 2 oreilles.

2 Mesurez 1 rectangle de mê-me largeur que celle de la boîte. Ajoutez 4 cm à sa longueur. Reportez et découpez dans le car-ton.

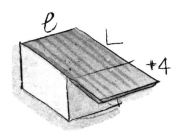

3 Arrondissez la partie qui dé-passe. Découpez. Collez sur la boîte.

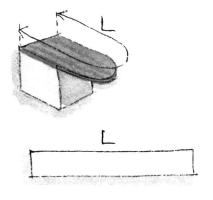

4 Mesurez le tour de ce rec-tangle arrondi. Tracez et dé-coupez une bande de carton sou-ple de cette longueur en 6 cm de large.

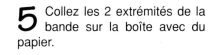

5 Collez les 2 extrémités de la bande sur la boîte avec du papier.

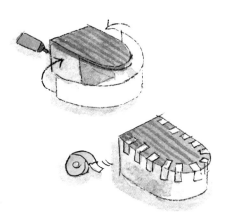

MONTAGE

1 Collez la boîte-tête sur le car-ton. Collez les oreilles.

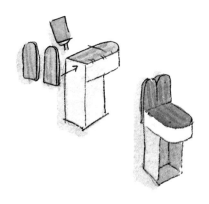

2 Collez les pattes sur les côtés.

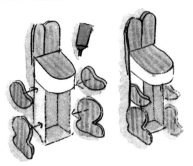

3 Coupez 2 alvéoles en obli-que. Collez-les sur la tête.

DÉCORATION

1 Peignez en brun le lapin sauf les yeux. Peignez en beige l'in-térieur des oreilles et le museau.

2 Avec un pinceau-brosse sec, donnez des traits de gouache bruns sur les pattes. Peignez les yeux et le museau.

Et maintenant, vous pouvez ran-ger vos cassettes.

LES COQUETIERS COLORÉS

IL VOUS FAUT

- bouteilles plastiques (eau minérale) avec leur bouchon
- gouache acrylique

PRÉPARATION

Coupez le goulot d'une bouteille plastique à 5,5 cm du bas.
Coupez avec un couteau à pain ou bien faites un trou, puis coupez aux ciseaux.

DÉCORATION

1 Passez une couche de gouache blanche.

2 Peignez de couleurs vives, d'abord les surfaces. Terminez par les détails (pois, points, rayures).

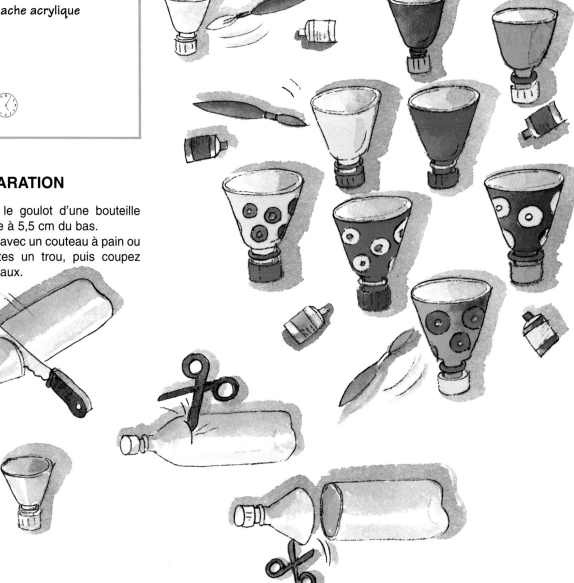

Vous pouvez jouer avec les reliefs qui diffèrent suivant les bouteilles.

Pour donner plus de stabilité au coquetier, placez une bille au fond puis mettez l'œuf.

LES LAPINS DOUILLETS

PRÉPARATION

Dans les gants, découpez la tête, le corps, les bras et les jambes.

La tête

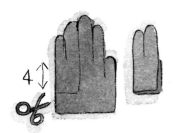

Le corps

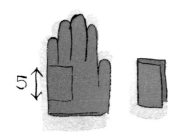

Les bras et jambes

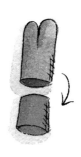

COUTURE

La tête

1 Coupez les deux extrémités de doigt à même longueur.

2 Retournez sur l'envers. Cousez les 2 extrémités et le côté.

Le corps

3 Retournez sur l'envers. Cousez le côté.

4 Retournez sur l'endroit les 2 morceaux tête et corps. Cousez-les ensemble.

5 Bourrez de coton, d'abord les oreilles (enfoncez avec 1 crayon). Bourrez tête et corps. Cousez ensemble les deux bords du bas.

Bourrez bras et jambes de coton. Fermez l'ouverture par quelques points pas trop serrés.

MONTAGE

1 Placez les jambes sous le corps puis les bras sur les côtés. Cousez-les sur le corps.

2 Cousez les yeux et le nez : plusieurs points de fil noir l'un sur l'autre.

3 Nouez l'écharpe (feutrine ou ruban) autour du cou.

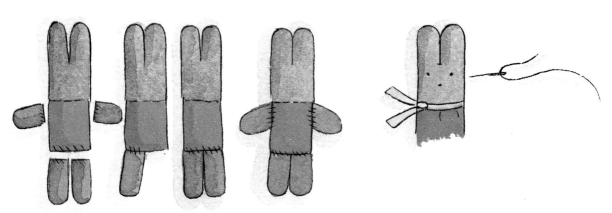

CADEAUX
TOUT BEAUX

PAS BRICOLO DU TOUT MAIS TRÈS PRO VOS CADEAUX !

ET EN PLUS ÉCOLO, PUISQUE C'EST

DE LA SUPER-RÉCUP'.

LE BOUQUET ÉTERNEL

PRÉPARATION

Les fleurs

1 Découpez les alvéoles de boîtes à œufs et les 2 pointes au milieu.

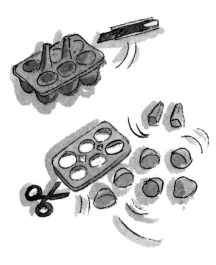

2 Coupez des pétales dans les alvéoles. Ouvrez-les.

3 Coupez le haut des pointes à 1 cm. Posez de la colle. Appliquez dans une fleur.

4 La tige est un pique apéritif ou 1 allumette taillée. Piquez avec 1 pointe. Enfoncez dans la fleur. Fixez avec 1 point de colle.

Les feuilles

1 Découpez les angles du couvercle. Mettez à plat.

2 Dessinez et coupez des formes de feuilles allongées.

1 feuille

3 Collez les feuilles par 1, 2 ou 3 sur les tiges.

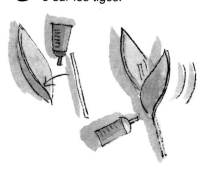

DÉCORATION

1 Passez une couche de gouache blanche sur les fleurs,
feuilles, tiges.

2 Peignez les pétales, les
cœurs de couleurs vives, les
tiges et les feuilles en vert vif ou
foncé.

MONTAGE

1 Pliez des feuilles non montées
sur des tiges, posez de la colle
sous le pli. Appliquez sur le bord
intérieur du pot de petit-suisse.

2 Composez le bouquet.

LA TÊTE EN L'AIR

- 1 cintre de teinturier (métallique)
- 1 vieux tube (colle, dentifrice)
- 2 bouchons en plastique de couleur (ou peint)
- 1 bobine (sans fil)
- 1 pince à linge en bois
- 2 anneaux de rideaux
- fil de fer fin
- raphia ou ficelle fine

PRÉPARATION

1 Étirez le cintre pour lui donner une forme arrondie.

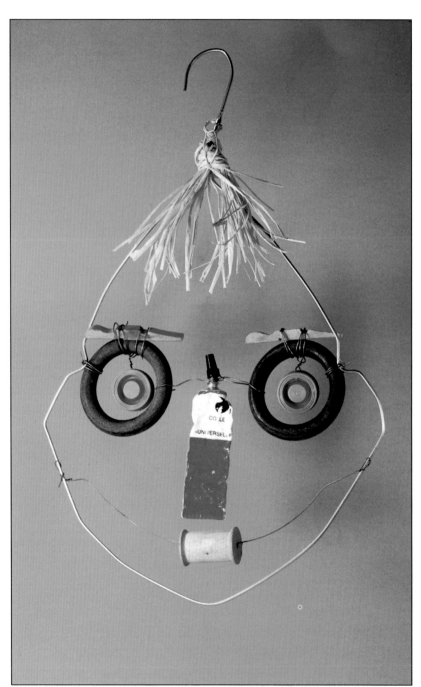

2 Ôtez le ressort de la pince à linge.

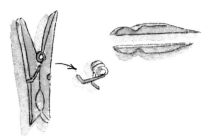

3 Attachez les 2 anneaux de rideau et les 2 morceaux de pince à linge avec le fil de fer.

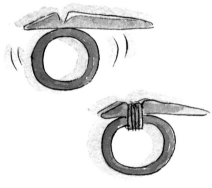

4 Avec une pointe, faites un trou au milieu des 2 bouchons de plastique. Faites passer du fil de fer dans ces trous. Fixez les bouchons aux anneaux.

MONTAGE

1 Disposez à plat le cintre (tête), les deux anneaux (yeux), le tube (nez), la bobine (bouche).

2 Avec le fil de fer, fixez les 2 anneaux au cintre sur les côtés.

3 Puis fixez le bouchon du tube aux 2 anneaux.

4 Fixez la bobine avec du fil de fer, de chaque côté sur le cintre.

5 Coupez des longueurs de raphia de 12 cm. Nouez-les en haut de la tête à la base de l'anneau. Suspendez.... Inventez d'autres têtes à partir des fonds de tiroir.

LE « BASSÉCOSSAIS »

PRÉPARATION

1 Calquez la forme des oreilles et de la queue. Reportez sur le carton mince. Découpez.

2 Découpez un des petits cylindres dans le sens de la longueur. Puis découpez deux bandes de 2,5 cm de large. Ôtez 3 cm à celles-ci. Ce sont les pattes.

3 Coupez 4 entailles dans le long cylindre-corps.

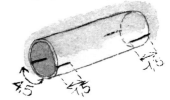

4 Coupez les mêmes entailles dans les bandes-pattes.

5 Faites coïncider les entailles des pattes et du corps.

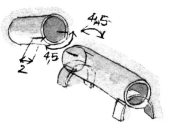

6 Coupez deux entailles dans le petit cylindre-tête, les mêmes dans le cylindre-corps.

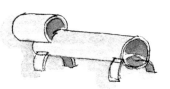

7 Faites coïncider ces entailles.

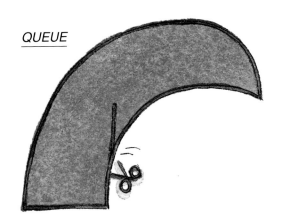

8 Coupez deux entailles dans les oreilles, les mêmes sur la tête. Introduisez les oreilles.

9 Coupez une entaille pour la queue. Placez-la.

DÉCORATION

1 Ôtez les oreilles et la queue. Peignez-les en bleu. Peignez aussi tout le basset en bleu.

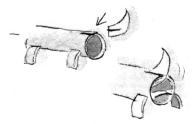

2 Après séchage, peignez des rayures blanches dans un sens, des rayures vertes dans l'autre.

3 Replacez les oreilles et la queue. Collez la boule de cotillon pour la truffe. Peignez-la en noir. Peignez l'œil.

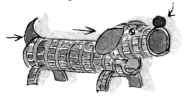

4 Coupez deux fentes pour la gueule. Placez-y le message.

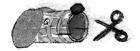

QUEUE

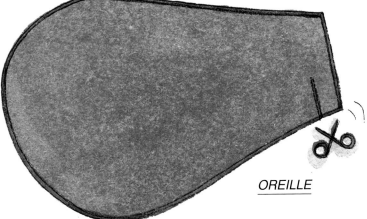

OREILLE

LES BIJOUX DE LA REINE

PRÉPARATION

1 Coupez des alvéoles de boîte à œufs. Égalisez les bords.

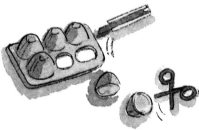

2 Posez un filet de colle sur l'épaisseur. Collez-les 2 par 2. Préparez 6 perles pour le collier, 5 pour le bracelet, 2 pour les boucles d'oreilles.

3 Avec l'aiguille, faites 1 trou aux deux extrémités des perles.

4 Roulez des boulettes de papier aluminium.

DÉCORATION

Peignez les perles alvéoles en 2 ou 3 couleurs. Cernez d'un trait de gouache noire.

MONTAGE

Le collier

1 Enfilez l'aiguille de fil élastique. Piquez dans 4 perles aluminium puis alternez 1 perle alvéole, 1 perle aluminium, etc.

2 Piquez les 6 perles-alvéoles puis 5 perles aluminium. Nouez les 2 extrémités du fil élastique. Coupez.

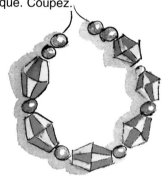

Le bracelet

Sur une aiguille de fil élastique, alternez 1 perle aluminium, 1 perle-alvéole et ainsi de suite.

Les boucles d'oreilles

Sur une aiguillée de fil élastique, enfilez 1 perle aluminium puis 1 perle-alvéole. Faites 1 boucle avec le fil (pour entourer l'oreille). Nouez ce fil. Coupez.

DESSOUS-DE-PLAT NATTÉ

PRÉPARATION

1 Taillez des bandes de tissu en 6 cm de large et dans 3 coloris différents.
Préparez environ 1,60 m de bande (en plusieurs morceaux) dans chaque couleur.

2 Pliez les bandes en 2 dans le sens de la longueur à la main ou au fer à repasser.

3 Épinglez ensemble le début de 3 bandes pliées. Nattez-les.

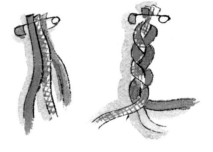

4 Quand vous n'avez plus de bande, ajoutez-en une autre que vous cousez bout à bout avec quelques points l'un sur l'autre.

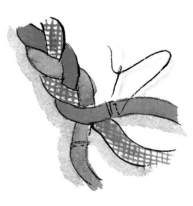

5 Continuez à natter jusqu'à obtenir une longueur d'environ 1,20 m. Serrez l'extrémité par quelques points solides. Coupez.

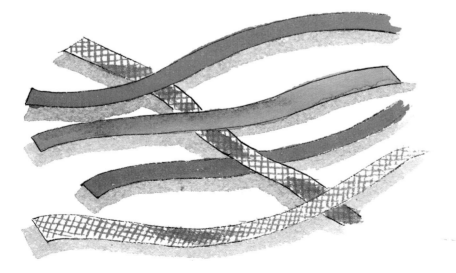

MONTAGE

1 Ôtez l'épingle du début de la natte. Cousez les 3 bandes serrées comme à la fin de la natte.

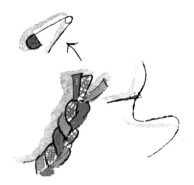

2 Donnez une forme arrondie, en escargot. Cousez les bords de la natte quand ils se touchent.

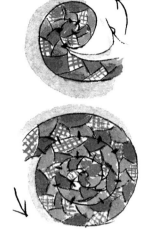

3 Continuez jusqu'à la fin de la natte. Cousez la fin en la serrant et en la glissant légèrement en dessous.

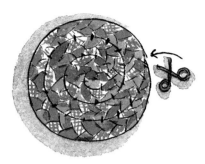

… Si vous continuez la natte, vous obtiendrez un dessous-de-plat, et encore plus… un tapis !

LE SAC CHAT

1 Coupez 18 cm dans une jambe
de vieux jean.

2 Ôtez 4 cm sur la partie supérieure avant.

3 Partagez la bande restante en 3. Dessinez 3 pointes. Découpez.

6 Cousez les 2 boutons blancs de chaque côté. Avec de grandes aiguillées de laine rouge, piquez 3 moustaches de chaque côté.

7 Cousez ensemble les 2 bords inférieurs avec des points de laine apparents.

4 Rabattez la pointe du milieu pour mesurer la place du bouton rouge. Cousez le bouton.

8 Faites 1 natte en laine de 45 cm de long, avec un nœud aux deux extrémités.

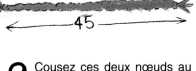

← 45 →

9 Cousez ces deux nœuds au dos des oreilles avec du fil bleu.

5 Cousez 1 boucle avec le fil élastique rouge sur la pointe du milieu. Rabattez celle-ci pour qu'elle tienne le bouton.

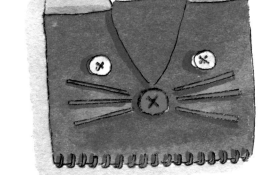

LE COFFRET COCCINELLE

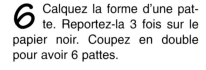
PRÉPARATION

1 Tracez et découpez un cercle de 11 cm de diamètre dans le carton. Coupez-le en 2, ce sont les ailes.

2 Passez une couche de gouache grise sur le couvercle.

3 Calquez la forme de la tête.

4 Reportez-la sur la boîte et sur l'épaisseur.

5 Reportez sur les 2 ailes.

6 Calquez la forme d'une patte. Reportez-la 3 fois sur le papier noir. Coupez en double pour avoir 6 pattes.

DÉCORATION

Peignez en rouge : l'épaisseur du couvercle, sauf la tête, l'épaisseur de la boîte intérieure, les 2 ailes. Peignez en noir la tête sur le couvercle et sur les ailes. Jetez des points noirs sur les ailes.

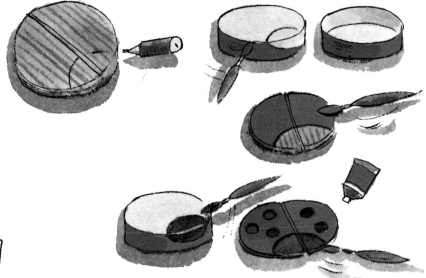

MONTAGE

1 Posez les ailes sur le couvercle. Avec une pointe de compas, faites deux trous à la place des yeux, dans les ailes et le couvercle. Agrandissez avec 1 aiguille.

2 Introduisez les attaches parisiennes dans ces trous.

3 Peignez les yeux sur les attaches parisiennes et la bouche en bleu.

4 Collez les pattes sous la boîte.

LE TIGRE GROS RHUME

PRÉPARATION

Calquez la forme des pattes, oreilles et queue (p.156). Reportez sur le carton. Découpez (4 pattes, 2 oreilles, 1 queue).

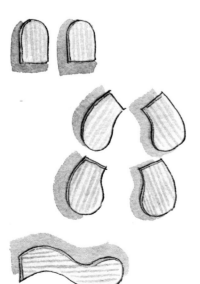

MONTAGE

1 Collez les oreilles en les glissant dans l'ouverture du couvercle. Sinon pratiquez 2 fentes et introduisez-y les oreilles.

2 Collez cette boîte sur un petit côté de la boîte de mouchoirs. Placez des cales sous la petite boîte. Maintenez jusqu'à la prise complète de la colle.

3 Collez les pattes et la queue sous la grande boîte.

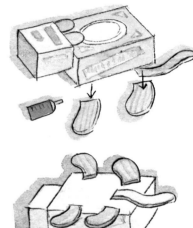

DÉCORATION

1 Passez une couche de gouache blanche puis peignez tout
en jaune. Calquez et reportez la
tête du tigre sur la petite boîte.
Peignez-la : yeux verts, bouche
rouge, nez et oreille, jaune clair. Le
tout cerné de noir.

2 Peignez de grosses rayures
noires sur le corps, les pattes,
la queue.

LA TÊTE DE COCHON « EMBALLANTE »

2 Coupez une alvéole de boîte à œufs. Égalisez les bords aux ciseaux.

3 Peignez en rose la boîte et le couvercle ainsi que les oreilles recto verso. Peignez en rose vif l'alvéole de boîte à œufs et l'intérieur des oreilles.

MONTAGE

1 Collez l'alvéole sur le couvercle un peu en dessous du milieu.

1 Calquez la forme d'une oreille. Reportez sur le papier à dessin. Coupez en deux exemplaires.

2 Pliez les oreilles suivant les pointillés. Collez les languettes sur l'épaisseur du couvercle (celles-ci s'écartant pour suivre l'arrondi).

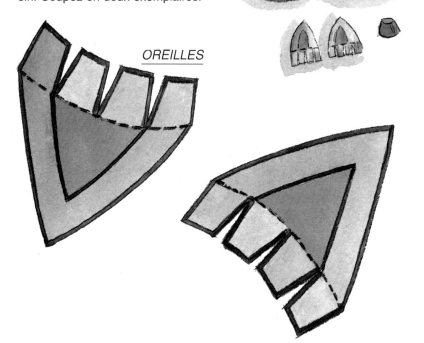

OREILLES

3 Dessinez les yeux au crayon. Repassez à la gouache. Peignez 2 joues roses. Soulignez d'un trait de gouache noire le tour des yeux, les sourcils, les oreilles, les narines et la bouche (sur l'alvéole).

L'ÉPOUVANTAIL EN POT

PRÉPARATION

1 Mesurez des longueurs de 45 cm en raphia. Pliez en deux. Faites 1 boulette de raphia. Placez-la dans le pli. Nouez en dessous. Coupez. C'est la tête.

2 Prenez quelques brins de chaque côté. Nouez à 7 cm. Coupez ce qui dépasse. Ce sont les bras.

3 Faites une autre boulette de raphia. Glissez-la. Nouez à la taille.

4 Partagez en 2 les longueurs restantes. Nouez.

HABILLAGE

Le pantalon

Dans une chaussette, coupez la cheville, puis coupez 2 cm au milieu. Enfilez sur l'épouvantail, nouez à la taille et aux jambes.

La veste

Coupez une autre chaussette. Sur une épaisseur, coupez 6 cm. Coupez 2 fentes de 2 cm sur les côtés. Enfilez sur l'épouvantail. Cousez 2 points grossièrement sur les épaules.

Les manches, l'écharpe

Coupez 2 doigts dans le gant. Coupez les extrémités. Enfilez sur les bras. Coupez 1 bande dans une chaussette, nouez-la autour du cou.

Le chapeau

Peignez le pot de petit-suisse en noir. Découpez 1 couronne dans de la feutrine noire. Faites-la glisser sur le pot de petit-suisse. Entourez d'une bande découpée dans la chaussette. Fixez sur la tête avec un filet de colle.

MONTAGE

Enfoncez la baguette ou le crayon dans les manches. Plantez l'épouvantail sur la baguette, et enfoncez la baguette dans un pot de terre.

Cet épouvantail plutôt sympathique risque d'attirer les oiseaux.

LA FENÊTRE BONNE-FÊTE

PRÉPARATION

1 Fermez les boîtes : collez le couvercle ou le trou d'ouverture.

2 Sur l'une des boîtes, tracez et découpez une ouverture. Il doit rester 6 cm dans le bas.

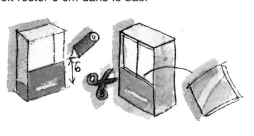

3 Sur l'autre boîte, tracez le milieu et découpez.

4 Sur cette dernière boîte, découpez aussi une pointe de 5 cm de haut.

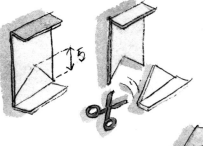

MONTAGE

1 Collez les deux panneaux découpés dans la deuxième boîte sur les flancs de la première.

2 Collez la pointe au-dessus.

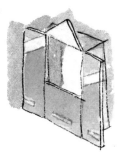

DÉCORATION

1 Passez une couche de gouache blanche pour cacher les textes. Peignez l'épaisseur des murs en rose brique. Après séchage, dessinez les briques à la gouache blanche.

2 Peignez les volets en bleu, les grilles en gris clair. Après séchage, dessinez les traits sur les volets et les grilles : 3 barreaux et des gros S entre eux. Repassez à la gouache plus foncée.

3 Collez la photo ou le dessin au fond. Coupez les bords de pots de petits suisses. Remplissez d'eau à moitié. Composez de mini-bouquets. Placez-les.

LA BOÎTE GRENOUILLE

3 Découpez 2 alvéoles de boîtes à œufs. Égalisez les bords.

4 Posez un filet de colle sur l'épaisseur. Appliquez sur le couvercle.

PRÉPARATION

1 Tracez et découpez 4 bandes de 11 x 2,5 cm.

2 Tracez l'emplacement des plis. Pliez comme sur le dessin. Coupez les encoches.

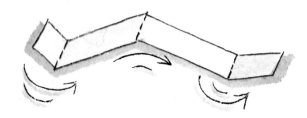

DÉCORATION

1 Peignez en vert les 4 bandes, recto verso.

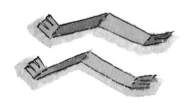

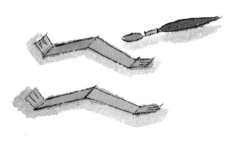

2 Peignez en vert le dessous de la boîte, le couvercle, les alvéoles, sauf le dessus. Peignez en blanc et noir les yeux sur les alvéoles. Peignez la bouche.

3 Collez les 4 pattes dans l'épaisseur du couvercle.

4 Retournez. Placez le couvercle sur la boîte. Peignez des points vert foncé de différentes grosseurs, sur le corps et les pattes.

LE CROCODILE CROQUEUR

IL VOUS FAUT

- 1 carton de tube dentifrice (ou autre)
- 2 rondelles de bouchon
- un peu de papier à dessin
- colle, gouache

1 Calquez la forme d'une patte. Reportez-la sur du papier à dessin. Coupez-la en quatre exemplaires.

2 Tracez les deux bandes de la queue : 24 x 4 et 15 x 4 cm. Tracez une pointe à 6 cm d'une extrémité. Coupez en double.

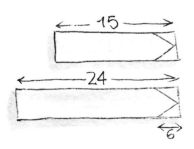

3 Taillez deux rondelles de bouchon (avec un couteau à pain).

4 Passez une couche de gouache blanche sur tous les éléments : la boîte, les deux bandes de la queue (recto et verso), les quatre pattes (recto seulement) et les deux rondelles de bouchon.

5 Après séchage, dessinez l'emplacement des dents sur la partie ouvrante (comme sur le croquis).

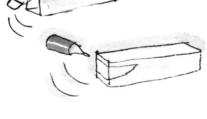

6 Peignez en vert tout ce qui a été peint en blanc, sauf les dents. Après séchage, passez une deuxième couche de vert si nécessaire.

7 En noir, peignez : deux points pour les yeux sur les rondelles de bouchon, deux points pour le nez et les lignes des dents.

8 Collez les 2 yeux-bouchons dessus et les quatre pattes dessous.

LA QUEUE

1 Collez ensemble les deux extrémités sur 5 cm environ.

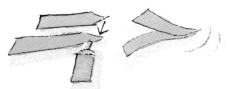

2 Donnez une forme arrondie en appuyant sur les deux épaisseurs de papier.

3 Posez de la colle à l'extrémité de la bande supérieure, sur 3 cm environ. Introduisez cette partie encollée dans le haut de la boîte.

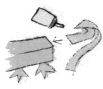

4 Posez de la colle à l'extrémité de la bande inférieure sur 3 cm. Appliquez en dessous de la boîte.

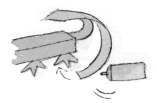

Il ne reste plus qu'à remplir de petits crocodiles en sucre ou autres bonbons.

LE CARILLON DE LA MAISON

MONTAGE

1 Prenez 40 cm de fil. Nouez l'extrémité à l'anneau d'une clé en bas d'une série. Nouez celle du dessus en laissant 2 cm entre les clés.

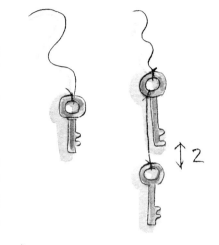

2 Nouez ainsi les quatre séries de 3 clés. Fixez chaque série par un nœud sur la clé horizontale. Le nœud tient mieux dans un relief ou un creux de la clé. Sinon ajoutez un point de colle.

PRÉPARATION

Disposez à plat :
- horizontalement la grande clé ;
- verticalement 4 séries de 3 clés sous la grande clé.

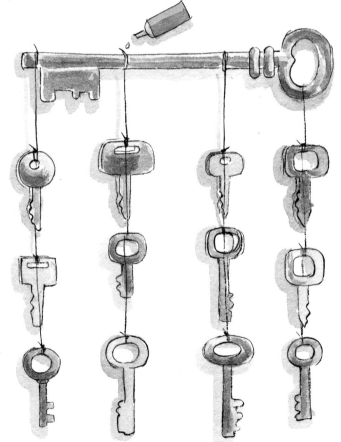

3 Courbez le fil de fer. Enroulez les deux extrémités sur l'anneau et le bout de la clé. Suspendez par le fil de fer.

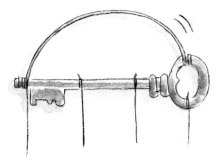

Accrochez ce carillon près d'une porte, sur un balcon ou une branche. Au moindre courant d'air les clés s'entrechoquent... et carillonnent joyeusement !

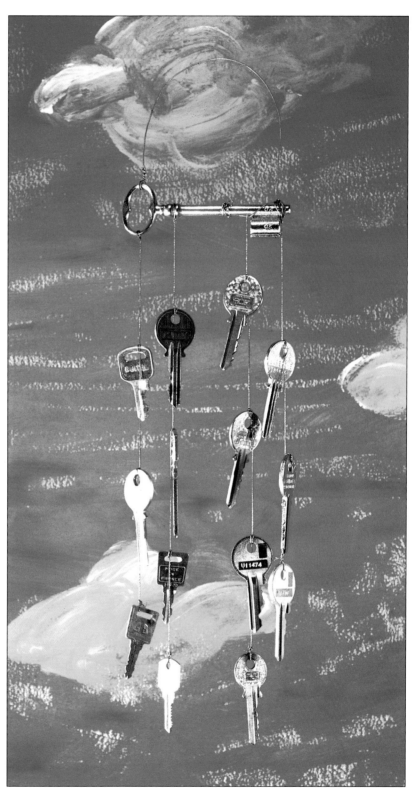

LA BOSSE DES PHOTOS

PRÉPARATION

1 Calquez la forme du cadre, de la tête et du cou (p.154). Reportez sur le carton. Découpez : la forme de la tête et du cou en 1 exemplaire et celle du cadre en 2 exemplaires. Tracez et découpez 4 rectangles de 8 x 1 cm.

2 Mesurez la longueur et la largeur de la photo. Ôtez 1 cm à ces mesures. Soit L moins 1 cm et l moins 1 cm les mesures du rectangle fenêtre à ôter au centre.

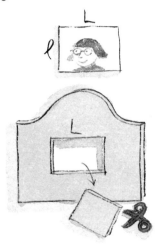

3 Peignez en bleu les morceaux de la tête et du cou, le cadre évidé, les quatre pattes.

MONTAGE

1 Fixez la photo au dos du cadre avec du ruban adhésif.

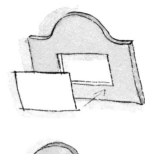

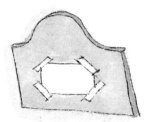

2 Collez le cou et les quatre pattes sur l'autre carton.

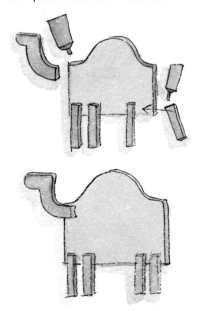

3 Superposez les deux cartons. Faites 5 trous en perçant les 2 épaisseurs de carton avec une aiguille à tricoter.

4 Enfilez une aiguillée de raphia. Piquez dans les 5 trous. Faites 3 nœuds dans le bas et les côtés. Faites une boucle au-dessus. La queue est terminée par un petit carré de carton peint en bleu. Peignez un œil et la bouche en noir.

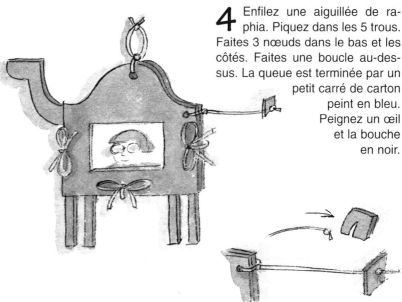

PETITS OBJETS POUR MA CHAMBRE

Le bricolage-recyclage, c'est du tout usage.

La poubelle est vide, la chambre fait la belle.

Rangez vos crayons, vos secrets et

vos trésors sans dépenser de l'or.

LE PETIT INDIEN ET SON CARNET

PRÉPARATION

Calquez la forme du socle-pieds, des bras, des plumes. Reportez le socle-pieds sur le carton, les bras et les plumes sur le papier à dessin. Découpez : 1 socle-pieds, 2 bras, 2 plumes.

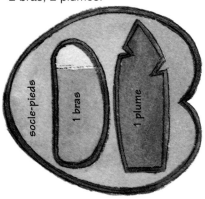

DÉCORATION

1 Tracez 1 trait à 6,5 cm du bas, tout autour du cylindre. Dessinez le contour du visage.

2 Peignez en rose le visage, les mains (recto verso) en ocre jaune : le costume, les bras (recto verso), les chaussures en noir, les cheveux en bleu et rouge, les 2 plumes.

3 Dessinez et peignez le visage.

4 Tracez sur le papier à dessin 2 bandes de 30 x 0,5 cm. Dessinez des petits triangles. Peignez-les en bleu et rouge.

MONTAGE

1 Coupez 2 fois 16 cm dans la bande. Collez-la autour de la taille (à 5 cm du bas) et autour de la tête en y glissant les 2 plumes.

2 Collez 2 bandes décorées sur le manche.

3 Soulignez les décors des manches et de la table d'un trait de gouache noire.

4 Peignez le bas de la tunique, les franges, le pantalon, les coutures des chaussures en noir.

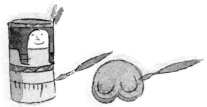

5 Collez les deux bras sur les côtés et l'Indien sur son socle-pieds.

6 Collez 2 petits morceaux de la bande colorée au bas des nattes, peignez le collier.

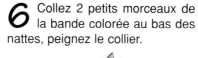

LE CARNET

1 Tracez et découpez 2 rectangles de carton de 8 x 7 cm et une douzaine de pages de 7 x 6,5 cm dans le papier.

2 Faites des trous à la perforatrice dans le carton et les pages.

3 Avec 1 aiguille enfilée de raphia, piquez 1 carton, les pages, 1 carton. De même pour le bas. Nouez sans serrer. Collez une bande au milieu.

LE COURRIER BIEN GARDÉ

PRÉPARATION

1 Calquez les différents éléments : la tête-buste, 1 bras, les jambes, 1 rabat de sacoche, 1 languette (p.157).
La longueur de la sacoche est celle de la boîte. Augmentez ou diminuez cette mesure si nécessaire.

2 Reportez ces formes sur le carton. Découpez-les. Prévoyez un bras mais deux jambes.

3 Ôtez une épaisseur de la boîte.

DÉCORATION

1 Peignez les différents éléments avant le montage : tête et main en rose, casquette, buste, jambe en bleu, cheveux, œil, pieds en brun, joue, bouche en rose.

2 Peignez le rabat et la languette en brun. Peignez aussi la boîte : intérieur et extérieur. Après séchage, peignez les points sur le rabat ainsi que la languette en brun clair.

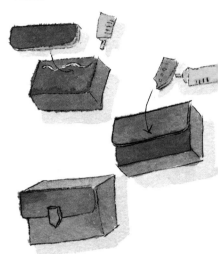

MONTAGE

1 Collez le rabat sur la boîte sacoche et la languette sur le rabat.

2 Disposez les éléments à plat.

3 Collez le bras sur le buste, la sacoche en dessous. Collez les jambes sous la sacoche.

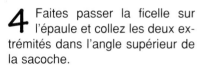

5 Faites un trou dans le haut de la casquette. Nouez une ficelle. Suspendez par cette boucle.

6 Attendez votre courrier.

4 Faites passer la ficelle sur l'épaule et collez les deux extrémités dans l'angle supérieur de la sacoche.

LE PALAIS DES 1001 NUITS

IL VOUS FAUT

- 4 boîtes en carton de dimensions différentes (boîtes de 500 g et petites boîtes de médicaments)
- papier à dessin de couleur
- glitter glue or, argent, rouge (colle à paillettes)
- ciseaux, colle
- bombe or

PRÉPARATION

Les murs

1 Coupez le haut des boîtes.

2 Disposez-les puis collez-les ensemble.

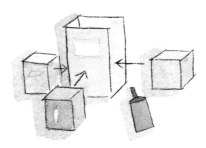

3 Passez à la bombe or. Laissez sécher.

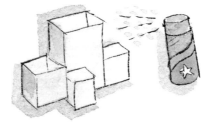

Les toits

1 Mesurez la largeur d'une boîte. Tracez une bande de 1 cm. Tracez le milieu. Dessinez la moitié du toit en forme de bulbe. Reportez sur l'autre moitié. Reportez sur du papier couleur. Découpez.

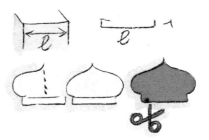

2 Faites de même pour les 3 autres toits dans des couleurs différentes. Mesurez des bandes de 1,5 cm qui fassent la largeur des boîtes + celles des côtés. Reportez ces mesures sur des papiers de couleur. Découpez.

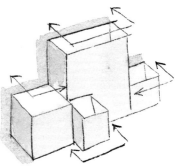

3 Dessinez et découpez des fenêtres et des portes dans différentes couleurs.

porte

fenêtre

MONTAGE

1 Collez les bulbes en haut des boîtes.

2 Collez les bandes de couleurs.

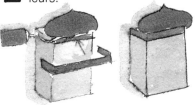

3 Décorez-les de points de glitter glue argenté et les toits de traits rouge ou or.

4 Dessinez à la gouache noire un croisillon sur les portes et fenêtres. Collez-les.

Ce palais des 1001 nuits est aussi un palais de crayons, ciseaux, pinceaux.

LE LION AUX CRAYONS

PRÉPARATION

1 Calquez le socle et les pattes (p.152). Reportez sur le carton. Découpez (1 socle, 2 pattes).

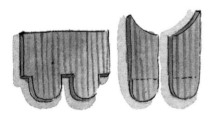

2 Tracez les mesures suivantes sur la boîte.

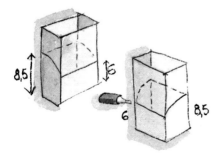

3 Découpez ainsi.

4 Collez le fond de la boîte sur le socle de carton.

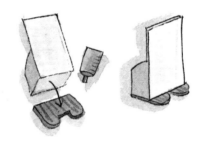

5 Pliez les cartons-pattes. Collez-les sur la boîte et le socle.

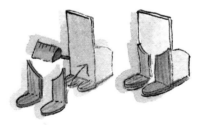

6 Collez l'intérieur et le couvercle de la boîte de camembert.

7 Collez la boîte de camembert sur la « boîte à pattes ». Découpez les morceaux qui dépassent.

DÉCORATION

1 Passez une couche d'une gouache blanche à l'intérieur et à l'extérieur de l'ensemble. Peignez l'intérieur en jaune.

2 Peignez le tout en orange. Après séchage, peignez 1 cercle orangé plus clair de 6 cm de diamètre.

3 Dessinez des traits à la gouache noire pour la crinière, la tête, les griffes.

LA QUEUE

1 Préparez 3 brins de raphia ou de ficelle de 20 cm de long. Nouez-les.

2 Faites 1 trou au dos de la boîte. Faites passer les 3 brins de l'intérieur vers l'extérieur.

3 Nattez les 3 brins. Terminez par 1 nœud.

Rangez vos crayons.

NICHE TRÉSOR

LA NICHE

1 Tracez le milieu de la boîte. Découpez dans le bas une fente de 4 x 0,4 cm.

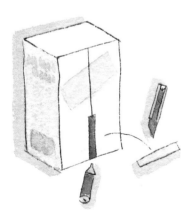

2 Portez les mesures du croquis. Joignez les points. Découpez. Pliez suivant les languettes hachurées. Collez aux angles.

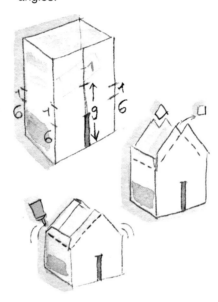

3 Passez une couche de gouache blanche. Dessinez au crayon la porte autour de la fente. Peignez les murs en jaune, l'entrée en gris.

LE TOIT

1 Mesurez la pente a et la largeur b de la maison.

2 Le toit est un rectangle de papier rouge dont la longueur est a + a + 2 cm et la largeur b + 2 cm. Pliez au milieu. Tracez et découpez une fente 4 x 0,3 cm sur le côté.

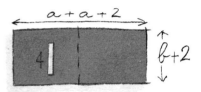

3 Posez de la colle sur les languettes pliées. Appliquez le toit.

LE CHIEN

1 Calquez le chien et les oreilles. Reportez sur le papier à dessin brun. Découpez. Pliez au milieu.

2 Collez les oreilles pliées en 2 sur le chien.

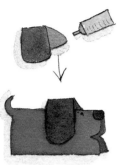

3 Rangez le chien dans la niche : les économies sont bien gardées.

CORPS
DU CHIEN

OREILLES

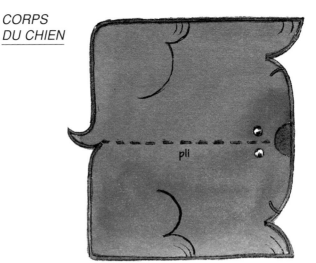

pli

LE MOBILE DES HIBOUX

PRÉPARATION

1 Calquez la forme d'un hibou. Reportez-la sur le papier noir. Découpez 5 hiboux.

2 Tracez 10 petits cercles jaunes de 1,5 cm de diamètre. Découpez-les en double pour en avoir 20.

3 Tracez et découpez 5 petits losanges rouges. Découpez en double pour en avoir 10.

4 Collez 2 yeux ronds jaunes sur chaque face du hibou. Collez une boule losange rouge au milieu et en dessous des yeux.

3 Disposez les hiboux à plat, ainsi que la baguette.

4 Fixez le haut des fils sur les encoches de la baguette avec des nœuds et un point de colle.

5 Nouez un fil de 30 cm environ aux deux extrémités de la baguette. Suspendez par le sommet de ce triangle.

6 Il ne reste plus qu'à dessiner un point noir au milieu des yeux de façon que les hiboux regardent de côté, en l'air, en dessous.

MONTAGE

1 Peignez la baguette en noir, faites 5 encoches.

2 Avec une aiguillée de fil, piquez dans le milieu et le haut d'un hibou. Nouez, laissez le fil en attente. Ainsi pour les 5 hiboux.

LA TAUPE À SOUS

IL VOUS FAUT

- 1 bouteille plastique
  d'1 l 1/2 assez lisse
  (coca, pepsi)
- papier à dessin ou
  carton mince
- gouache acrylique
- colle

PRÉPARATION

1 Tracez et découpez la forme des pattes et de la queue. Reportez sur le carton. Découpez 4 pattes et 1 queue.

2 Tracez et découpez 2 cercles de 5 cm de diamètre.

3 Pratiquez une fente de 5 x 0,5 cm dans la longueur de la bouteille (cutter, prudence : passez la lame doucement et plusieurs fois jusqu'à ce qu'elle s'enfonce).

DÉCORATION

1 Peignez en gris foncé toute la bouteille, sauf le bouchon et 2 cm de goulot. Passez 2 couches.

2 Peignez en rose les 4 pattes et le goulot bouchon.

3 Peignez les yeux sur les 2 ronds blancs.

MONTAGE

1 Superposez légèrement les pattes et collez-les ainsi.

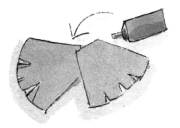

2 Posez de la colle au milieu de ces ensembles pattes. Appliquez la bouteille (la fente étant sur le dessus).

3 Placez de petites cales en carton entre la bouteille et les pattes si nécessaire.

4 Collez la queue. Retournez.

5 Collez les yeux.

Faites des économies !

PATTES DE LA TAUPE

LE LIVRE DES SECRETS

PRÉPARATION

1 Ôtez une face de la boîte. Collez les petits côtés.

2 Collez du papier blanc sur 3 côtés de l'épaisseur. Tracez des lignes noires à la gouache ainsi qu'une petite courbe.

3 Mesurez longueur, largeur, épaisseur de la boîte. Reportez sur le carton en ajoutant 1 cm à la longueur, 1,5 cm à la largeur, 1 cm à l'épaisseur. Coupez 3 rectangles.

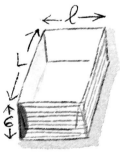

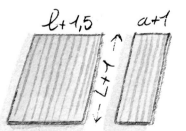

4 Coupez 4 petits rectangles de papier violet (15 x 6 cm). Collez-les sur 2 angles des couvertures en carton.

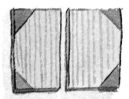

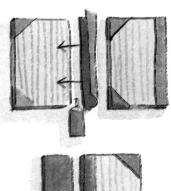

5 Collez du papier violet sur les 2 longueurs opposées des couvertures et l'épaisseur.

MONTAGE

1 Collez l'épaisseur de la boîte non peinte sur la bande de carton.

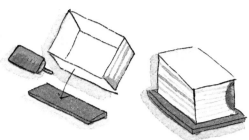

2 Collez le dessous de la boîte sur une des deux couvertures.

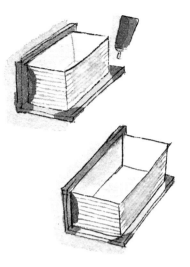

3 Fixez la deuxième couverture avec de la bande adhésive à l'intérieur de la boîte, en laissant assez « de jeu » pour que la boîte s'ouvre et se ferme.

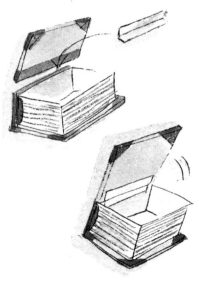

4 Découpez des lettres d'imprimerie de hauteurs et de caractères différents. Disposez-les et collez-les.

BEAU NOËL

AVEC 3 FOIS RIEN MAIS AVEC MILLE ASTUCES,

UN CŒUR ET DIX DOIGTS,

CRÉATIVITÉ ET GÉNÉROSITÉ FERONT MERVEILLE.

LA CRÈCHE

PRÉPARATION

La crèche

1 Coupez une longueur sur la boîte à œufs (6). Faites une ouverture sur 1 côté (2 x 2 cm). Peignez en beige rosé.

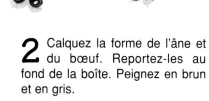

2 Calquez la forme de l'âne et du bœuf. Reportez-les au fond de la boîte. Peignez en brun et en gris.

3 Coupez des longueurs de 7 cm dans le raphia ou la paille. À défaut, coupez des bandes dans du papier jaune. Collez sur le toit de l'étable.

LES PERSONNAGES

PRÉPARATION

1 Coupez les alvéoles et les pointes de boîtes à œufs. Coupez des petits sommets sur des plaques à œufs.

2 Coupez 4 côtés d'un couvercle, aplatissez les côtés.

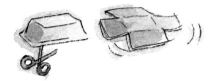

MONTAGE

Les personnages sont composés de plusieurs éléments superposés et collés : pointe sur alvéole, ou 3 pointes l'une sur l'autre. Les bras et les pieds sont découpés dans les parties aplaties du carton-couvercle et collées.

L'enfant Jésus

1 pointe et 1 alvéole, du raphia.

Marie

1 pointe, 1 alvéole, 2 bras.

Joseph

3 pointes, 2 bras, 1 socle-pieds.

Autres personnages

Glissez de petits morceaux d'allumettes sous le bras.

Petits paniers

DÉCORATION

Peignez les visages et les mains en rose, les vêtements de Marie en bleu, de Joseph en brun. Peignez les personnages dans une harmonie de bruns, bleus, jaunes.

Inventez d'autres santons. Remplissez les paniers de graines. Disposez la crèche, les personnages sur un fond de nuit. Collez une étoile au-dessus de la crèche.

LE BOUGEOIR DE FÊTES

- l'intérieur d'une boîte de camembert
- 1 bouteille d'eau minérale (plastique)
- 1 cylindre de carton (papier-toilette vide)
- papier aluminium
- 1 bougie
- bombe or
- accessoires : branches de sapin, noix, pommes de pin, etc.

PRÉPARATION

1 Coupez le goulot d'une bouteille plastique, en gardant le bouchon à 5 cm du bas. Égalisez aux ciseaux.

2 Collez le bouchon au milieu de la boîte.

3 Coupez le cylindre de carton dans le sens de la longueur. Taillez une bande de 2 cm de large.

4 Collez-la en rond.

5 Collez cette boucle sur l'épaisseur de la boîte.

6 Entourez le goulot de papier aluminium (pour le rendre ininflammable). Placez la bougie. Calez-la avec du papier alu.

DÉCORATION

1 Passez à la bombe or le bougeoir et la bougie ainsi que des noix et des pommes de pin. Attendez le séchage complet.

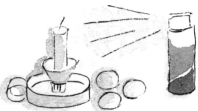

2 Disposez des branchettes de sapin nouées avec du ruban rouge, des noix et des pommes de pin.

LES MINI-PANIERS

IL VOUS FAUT

- boîtes à œufs en carton
- 1 cylindre de carton (papier-toilette)
- colle
- ruban rouge (25 x 0,5 cm pour 1 panier)
- branchettes de sapin (3 cm de long)
- bombe or

2 Coupez le cylindre de carton dans le sens de la longueur.

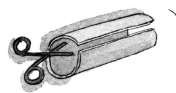

3 Coupez des bandes de 1 cm de large environ. Coupez à 11 cm.

MONTAGE

Posez de la colle aux 2 extrémités, glissez sur les bords intérieurs d'une alvéole. Maintenez jusqu'au séchage.

PRÉPARATION

1 Coupez les alvéoles de boîtes à œufs.

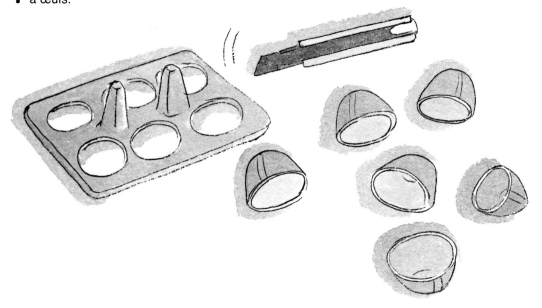

1 Posez 1 caillou dans chaque panier pour les lester. Passez de la bombe or.

2 Nouez un ruban rouge sur l'anse. Ôtez les cailloux. Placez 2 ou 3 branchettes de sapin.

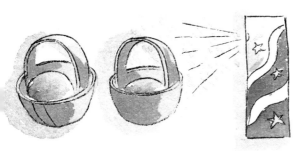

Ces petits paniers sont très décoratifs sur une table de Noël.

À CHACUN SA PLACE

LUTIN AUX FAGOTS

1 Calquez la forme d'un lutin. Reportez sur du papier à dessin.

2 Peignez le visage en rose, le costume en vert. Écrivez le nom sur l'étiquette.

3 Faites un petit fagot avec des branchettes de 10 cm de long. Nouez d'un ruban rouge (35 cm). Placez le lutin.

LUTIN ET SAPIN

1 Même procédé pour ce lutin. Peignez-le en rouge. Nouez 1 ruban rouge au début d'une branchette de sapin. Placez le lutin.

SAPIN EN POT

1 Coupez le bouchon en 2. Peignez-le en rouge. Faites 1 trou avec 1 pointe au milieu. Enfoncez 1 pique apéritif ou 1 allumette taillée.

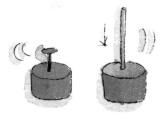

2 Calquez la forme d'un sapin. Reportez sur du papier à dessin vert. Coupez en 2 exemplaires. Collez ensemble avec la pique au milieu qui doit dépasser d'1 cm.

ÉTOILE EN POT

1 Peignez le demi-bouchon en vert. Découpez l'étoile dans du papier blanc, décorez-la de points verts et rouges.

2 Pour le montage, procédez de la même façon que pour le sapin.

3 Peignez des flocons blancs. Découpez l'étiquette en 2 exemplaires. Écrivez le nom. Collez-les ensemble.

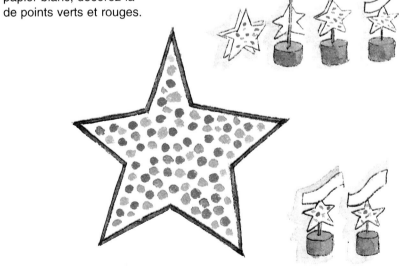

LA LANTERNE BALLOTIN

PRÉPARATION

1 Coupez le carton à 10 cm de haut. Passez 1 couche de gouache blanche.

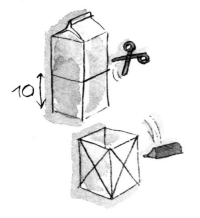

2 Dans une feuille à petits carreaux, découpez une bande de 8 x 1 cm.

3 Posez cette bande sur une diagonale, tracez 2 marques au-dessus et en dessous.

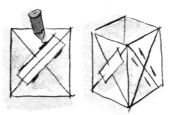

4 Ôtez la bande. Prolongez les traits. Faites de même sur l'autre diagonale et sur les 3 autres faces.

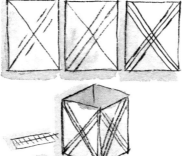

5 Tracez 2 bandes de 1 cm de large en haut et en bas et de 0,5 cm de large de chaque côté.

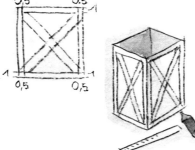

6 Dans le papier noir, préparez 2 bandes de 24 x 2 cm et une de 15 x 2 cm.

DÉCORATION

1 Peignez les triangles de couleurs vives : jaune, rouge, bleu, vert. Peignez toutes les bandes en noir.

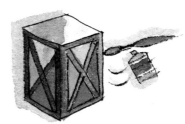

2 Collez 1 bande de papier noir.

3 Collez la deuxième bande chevauchant et croisant la première. Consolidez avec 1 agrafe.

4 Enroulez la troisième bande. Collez-la en boule. Collez cette boucle sur le croisement des 2 bandes.

5 Peignez les 4 rondelles de bouchon en noir. Collez-les sous la lanterne.

Remplissez la lanterne de friandises.

LES BOULES DE NOËL

IL VOUS FAUT

- boîtes à œufs
- fil de fer fin
- ciseaux, colle, gouache
- glitter glue (colle à paillettes) facultatif
- ruban adhésif

PRÉPARATION

1 Coupez les alvéoles des boîtes à œufs. Égalisez les bords aux ciseaux.

2 Coupez 4 cm de fil de fer. Donnez-lui une forme de crochet. Piquez une alvéole avec une pointe. Faites passer le crochet. Fixez-le à l'intérieur avec de l'adhésif.

3 Posez un filet de colle sur l'épaisseur d'une alvéole (avec crochet). Appliquez une autre alvéole (sans crochet).

DÉCORATION

1 Passez une couche de gouache blanche. Tracez au crayon des limites entre les facettes de la « boule ». Peignez une facette sur 2 de couleur vive.

2 Terminez par un point de glitter glue sur les facettes blanches.

3 Soulignez d'un trait de gouache noire.

Accrochez ces boules de Noël, très légères, aux branches de sapin.

LE MOBILE DES SAPINS

PRÉPARATION

1 Calquez la forme d'un sapin et du père Noël. Reportez sur le papier vert 4 fois et coupez en double pour avoir 8 sapins. Reportez le père Noël sur le papier rouge. Découpez.

2 Peignez la baguette en noir. Faites 3 encoches.

DÉCORATION

Peignez des flocons irréguliers sur les 8 sapins, recto verso. Peignez la tête du Père Noël, le pompon, la fourrure, la barbe, les chaussures.

MONTAGE

1 Disposez à plat la baguette, les sapins, le père Noël.

2 Avec 1 aiguillée de fil, piquez le haut d'un sapin, nouez, piquez le bas d'un sapin en laissant 4 cm de fil libre. Nouez, coupez. De la même façon, fixez le père Noël entre deux sapins.

3 Quand tous les éléments sont reliés entre eux, fixez-les sur les encoches de la baguette en laissant 5 cm de fil libre.

4 Nouez 30 cm de fil aux 2 extrémités de la baguette. Suspendez par ce fil.

LES BOÎTES SURPRISES

BOÎTE PÈRE NOËL

PRÉPARATION

1 Collez du papier rouge au dos et sur les 2 petits côtés de la boîte.

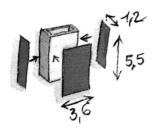

2 Calquez les formes du père Noël et de la capuche (p.154). Reportez-les sur du papier rouge. Découpez-les.

DÉCORATION

Peignez en blanc : le pompon, la bordure de la capuche, des manches et du manteau, les moustaches, la barbe. Peignez en rose le visage et les mains. En noir, les chaussures. Cernez tous les éléments. Ajoutez les yeux et le nez.

MONTAGE

1 Pliez la languette de la capuche. Collez-la sur l'épaisseur du tiroir.

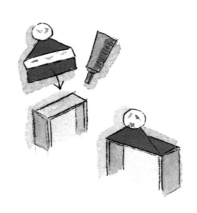

2 Collez le père Noël sur l'enveloppe de la boîte. Pliez les pieds.

3 Introduisez le tiroir dans l'enveloppe.

BOÎTE À SAPIN

PRÉPARATION

Collez du papier vert sur les petits côtés (2 fois 5,5 x 1,3 cm). Calquez les formes du sapin. Reportez-les sur du papier vert. Coupez en double.

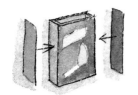

Peignez des flocons.

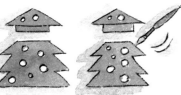

MONTAGE

1 Pliez les languettes, collez-les l'une après l'autre sur l'épaisseur du tiroir.

2 Collez les 2 sapins sur les 2 faces de l'enveloppe. Introduisez le tiroir dans l'enveloppe. Bien sûr, dans ces boîtes vous glissez de petits messages entourés de ficelle dorée ou des mini-cadeaux.

LE PÈRE NOËL ET SA HOTTE

PRÉPARATION

1 Sur le carton de lait, dessinez un trait à 8 cm sur 3 côtés et à 16 cm sur le quatrième. Coupez ainsi :

2 Tracez le milieu du grand côté. Dessinez l'arrondi de la tête. Coupez.

3 Calquez la forme des bras et du socle-pieds. Reportez sur le carton. Découpez : socle-pieds en 1 exemplaire, bras en 2.

MONTAGE

1 Collez la boîte sur le socle-pieds.

2 Faites 2 fentes de 3,5 cm sur les arêtes de côté.

3 Posez de la colle au haut d'un bras. Introduisez-le dans la fente, la partie encollée côté boîte.

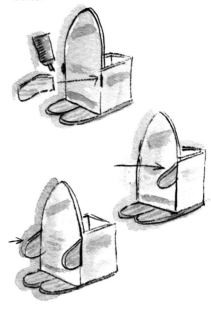

DÉCORATION

1 Passez 1 couche de gouache blanche sur le père Noël et la hotte (intérieur et extérieur).

2 Peignez le visage et les mains en rose, le manteau en rouge, les chaussures en noir. Quand le visage est sec, ajoutez 2 yeux ronds noirs, 1 nez rose. Peignez des traits ocre, jaunes ou bruns sur la hotte pour imiter la vannerie.

3 Collez du coton autour du visage, pour les moustaches et la barbe, au bas des manches et du manteau. Enfin, collez une boulette pompon sur la capuche.

Remplissez la hotte de bran-chettes de sapin et de bonbons.

PATRONS

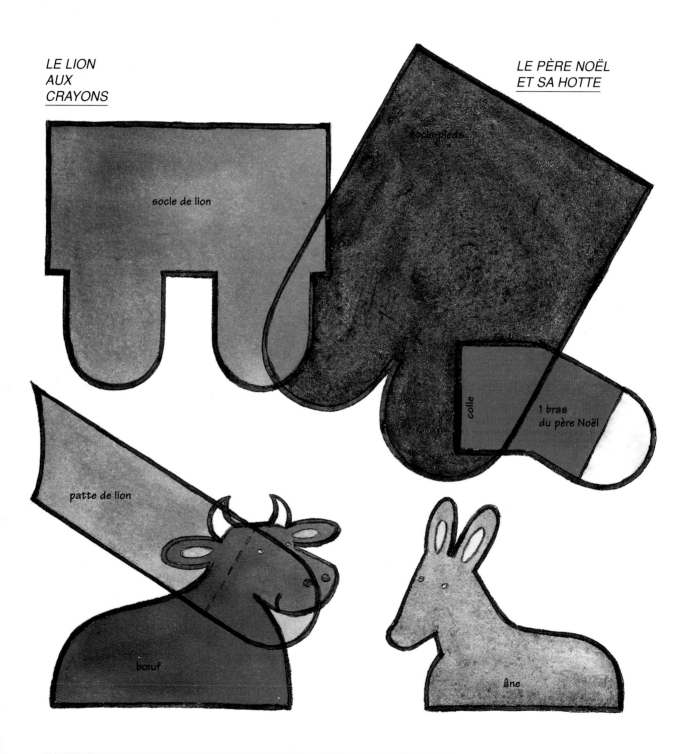

LE LION
AUX
CRAYONS

LE PÈRE NOËL
ET SA HOTTE

socle-pieds

socle de lion

colle

1 bras
du père Noël

patte de lion

bœuf

âne

152

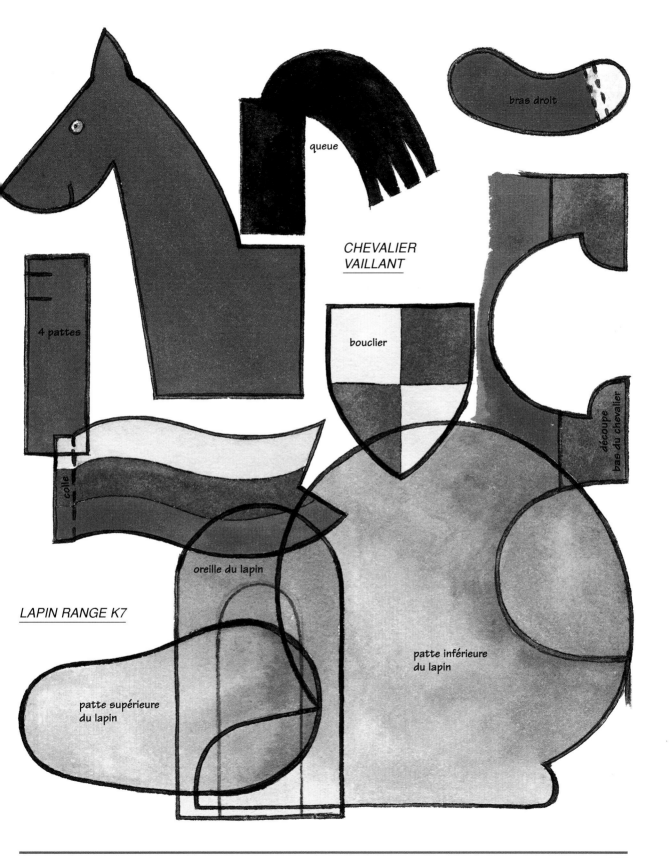

bras droit

queue

CHEVALIER
VAILLANT

4 pattes

bouclier

découpe
bras du chevalier

colle

oreille du lapin

LAPIN RANGE K7

patte inférieure
du lapin

patte supérieure
du lapin

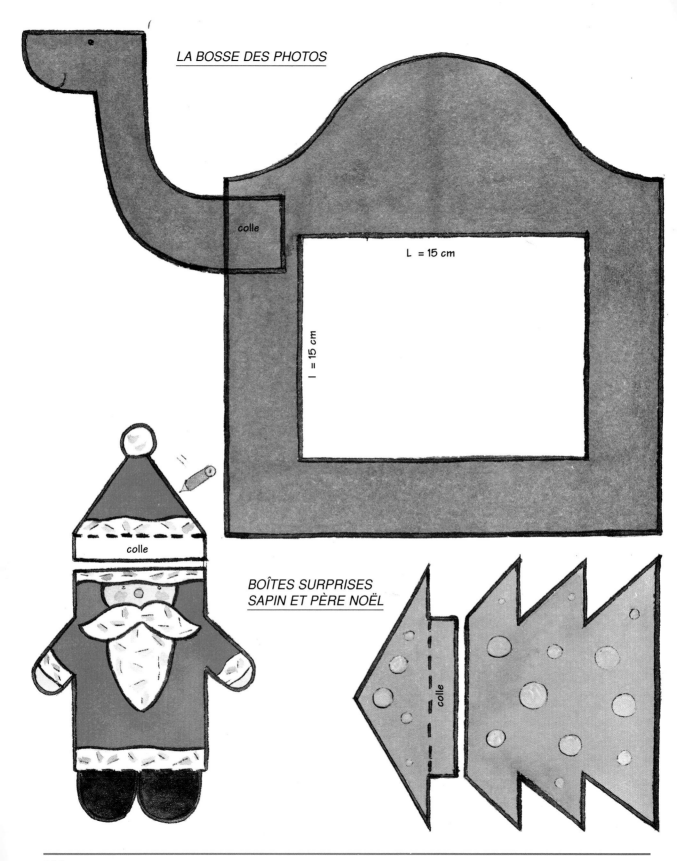

LA BOSSE DES PHOTOS

colle

L = 15 cm

l = 15 cm

colle

BOÎTES SURPRISES
SAPIN ET PÈRE NOËL

colle

colle

bec

1/2 tête de poule

tête de lit

aile

milieu

queue

pied de lit

crête

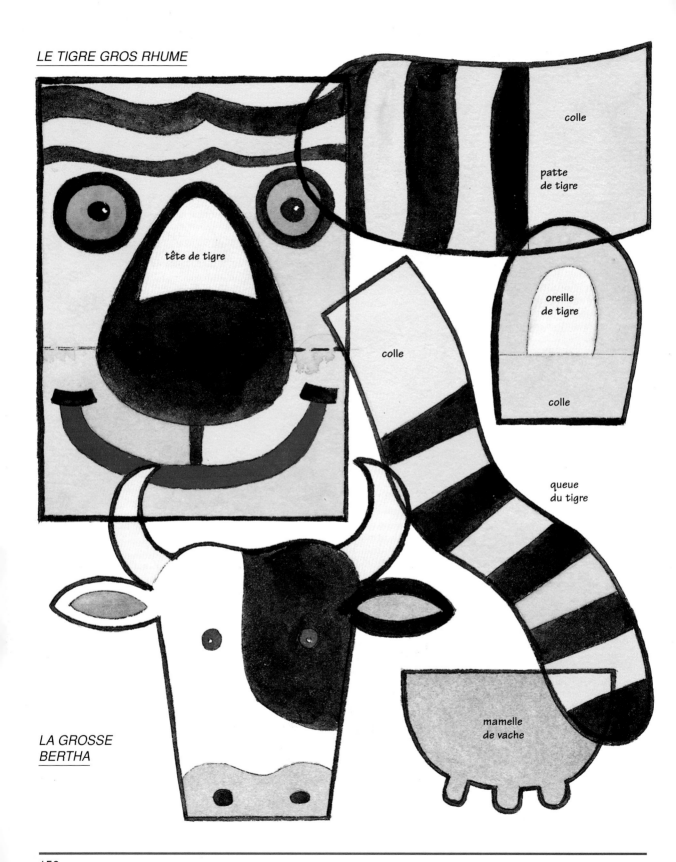

colle

patte
de tigre

tête de tigre

colle

oreille
de tigre

colle

queue
du tigre

mamelle
de vache

LA GROSSE
BERTHA